Les THIBAULT 6

チボー家の人々

ラ・ソレリーナ

ロジェ・マルタン・デュ・ガール

山内義雄＝訳

白水 u ブックス

チボー家の人々6　ラ・ソレリーナ　目次

一

「ならん、と返事をするんだ！」チボー氏は、目をあけようともせずに、こうどなった。彼はせきこんだ。それは、チボー氏の《ぜんそく》と呼ばれているからせきで、それが出るたびに、まくらの中にうずめた頭が少し動いた。

窓の前、折りたたみのできるテーブルに向かって腰かけていたシャール氏は、もう一時をまわっているのに、朝の郵便物の封を切りつづけていた。

この日チボー氏は、ただひとつ残っている腎臓のぐあいがとてもわるく、ひっきりなしに疼痛がつづくため、朝のうち、秘書を接見することができなかった。童貞セリーヌは、とうとう正午になって、なんとか口実をもうけて、いつも夕方でなければしないことにしている痛みどめの注射をする決心をした。痛みは、ほとんどすぐにとまってくれた。だが、時間の観念がなくなっていたチボー氏は、手紙を読ませるため、シャール氏が、昼飯をすまして帰って来るのをじりじりしながら待っていた。

「次は？」と、チボー氏はたずねた。

シャール氏は、一本の手紙に目をとおした。

「アルジェリア歩兵隊下士フェリシアン・オーブリ……クルーイ少年園監督に就職したいと申しております」

「少年園だと？　刑務所とちがうかな……くずかご行きだ。次？」

「え？　刑務所とちがうかな？」と、シャール氏は、低い声でくり返した。そして、わかろうとするのをあきらめると、眼鏡をかけ直し、いそいで別の封をきった。

「ヴィルヌーヴ・ジューバン僧院にて……深甚なる感謝……教え子のための礼状でございます。つまりませんな」

「つまらん？　いや読みたまえ、シャール君」

「閣下、
わが聖き務めといたしまして、わたくしはいま、きわめてうれしいひとつの義務をはたす機会をあたえられました。わたくしは、ここに信者ベリエ夫人の求めにより、閣下にたいし、深甚なる感謝を……」

「高い声で読みたまえ！」と、チボー氏が要求した。

「……深甚なる感謝を、その子息アレクシスのため、クルーイ少年園によってあたえられた驚くべき薫育の結果について表明するものでございます。いまを去る四年まえ、閣下がこの少年にたいし、オスカール・チボー少年園に入園をお許しくださいましたとき、わたくしどもはこの少年にたいしてまったく絶望しておりました。悪癖をもった性情、常軌を逸した行動、生まれながらの粗暴さは、将来おそるべきものになる予想をいだかせておりました。しかるに閣下は、わずか三年のうちに奇跡をお見せくださいました。少年が教会にもどってまいってから、すでに九カ月以上になります。そして、母も姉妹、近隣の者たちも、わたしく自身も、また少年がそこに徒弟奉公をしております大工のジュル・ビノ氏も、一様に彼の温和、勤勉、信仰への精進を賞賛いたしております。

わたくしはいま、こうした精神の立て直しにみごとな成功をおしめしだったお仕事の隆昌にたいし、主のご加護を祈ってやみません。と同時に、聖ヴァンサン・ドゥ・ポールのご慈悲と捨て身の精神とを身をもっておしめしくださいました閣下にたいし、改めて心からの敬意を表する次第でございます。

司祭　J・リュメル」

チボー氏は、じっと目をつぶったままだった。だが、その小さいあごひげは揺れていた。からだの弱っている老人は、ちょっとのことに、感動せずにはいられなかった。

「シャール君、りっぱな手紙だ」と、老人は、感動をおさえながら言った。「来年の公報に載せる価値があると思わんかね？　適当な時期に思いださせてくれたまえ。次は？」

「内務省。教化団体係」

「ほほう……」

「いや、ほんの印刷物でございます……形式的な達しで……通りいっぺんの」

童貞(スール)セリーヌが戸口を細めにあけた。チボー氏は、ふきげんらしくこうどなった。

「あとにしてもらおう！」

童貞（スール）セリーヌは、無理にとは言わなかった。そして、部屋にはいり、彼女がいつもちょっと渋面をつくりながら《病院のにおい》と呼びならわしていた臭気をふせぐため、病室の中でたいている炭火の中にまきをひとつ入れそえると——そのまま部屋から出ていった。

「次だ？」

「フランス学士院。二十七日の集会……」

「もっと高い声で。次？」

「司教区事業最高委員会。十一月の集会。二十三日および三十日、十二月の集会……」

「ボーフルモン司祭さんへ手紙をあげてな、二十三日には欠席いたしますと申しあげてもらおう……いや、三十日もだ」そして、ちょっとためらったあとで言いそえた。

「十二月のぶんは、備忘録に書いといてもらおう……次？」

「これで全部でございます。そのほかは聖堂区救済会の寄付……それに名刺……きのう、こんなかたがたがお見えになりました。ニュセー神父さま。『両世界評論』秘書リュドヴィク・ロワさま。ケリガン将軍……けさは、上院副議長から、ご容態をたずねておよこしでした……あとは回状類、聖堂区事業団体の書類……新聞……」

部屋の戸が、さっとあいた。童貞セリーヌが、こんどは、皿の上に湯気の立つぱっぷを載せてはいって来た。

シャール氏は目を伏せた。そして、靴がきしまないように、つまさき立って歩きながらその場をはずした。

童貞セリーヌ（スール）は、すでにかいまきをまくっていた。このぱっぷは、きのう以来、童貞セリーヌにとっての病みつきだった。じつのところ、それはいくらか痛みをやわらげたかは知らないが、弛緩した器官にたいし、期待していたほどの効果はあげなかった。そんなわけで、チボー氏はいやがっていたにかかわらず、さらに改めて、いそいでゾンディールンクをする必要があった。

それがすむと、老人は楽になった。だが、こうした手当を受けたため、ぐっと疲れが感じられた。いましがた三時半が打った。このぶんでは、夕方になってもどうもよくなりそうに思われなかった。モルヒネの効能もだんだんきかなくなりかけていた。五時の灌腸までには、まだ一時間以上もあった。童貞セリーヌは、病人の気をまぎらすため、自分の一存で、シャール氏にいてもらうことにした。

シャール氏は、ふたたびこそこそと窓の前の席にもどった。

シャール氏は不安だった。廊下で行きあったでぶのクロティルドは、彼の耳にこうささやいた。「ねえ、今週になってから、旦那は、めっきりお変わりになりましたよ！」そして、シャール氏が、おろおろして穴のあくほどみつめているのを見ると、シャール氏の腕に手をかけて、『ねえ、シャールさん、あの病気はとてもなおりっこないんですよ！』と、言った。

チボー氏は、身動きもせず、せいせい息をしながら、少しうめき声を立てていた――それはいつもの習慣なので、まだ苦しくなっていたというわけではなかった。それどころか、こうして横になっているると、なにやらとろりとしたような気持ちにさえなるのだった。だが、いずれまた苦しくなるだろうと思うと、このまま眠ってしまいたかった。それには、秘書がいてはじゃまだった。

老人はまぶたをあげた。そして、窓のほうへ、なさけなさそうな眼差しを向けた。

「待ってもらっても時間つぶしだ、シャール君。今夜はとても仕事ができん。そら……」と、両腕をあげてみせようとした。「わしももうおしまいだよ」

シャール氏には、知らん顔ができなかった。

「あの、もう！」シャール氏は、ぎょっとして、高い声をあげた。

チボー氏は、おどろいて、顔をふり向けた。人の悪そうな光が、ちらりとまつげのあいだにひかった。

「きみにもわかるだろう？　日一日と、力が抜けていく」こう言ってためいきをついた。「夢を見ていてもはじまらない。どうせ死ぬんだったら、一日も早く死にたいものだ」

「死ぬ、とおっしゃいます？」と、シャール氏は両手を組みあわせながら言った。

チボー氏は、おもしろがっていた。そして、

「そう、死ぬのさ！」と、おそろしいようなちょうしではき出した。老人は、かっと両眼をひらいたかと思うと、ふたたびそれを閉じて見せた。

シャール氏は、化石したように、この、じっと動かない、ふくれあがった――そして、すでに死相

を帯びてきているチボー氏の顔にながめいっていた。では、やはりクロティルドの言ったのがほんとだろうか？　とすると、この自分は？……彼には、自分の老後の姿が思い浮かんだ。貧苦……

彼は、全身の勇気をふるいおこそうとするたびに、がたがた胴ぶるいのしてくるのが感じられた。そして、音も立てずに、椅子の上からすべりおりた。

「安息よりほかに、なんの望みもない時がやって来るのだ」まさに眠り入ろうとしながら、チボー氏がつぶやいた。「キリスト教徒にとって、死は恐るべきものではないはずだ」

目をつぶりながら、老人は、頭の中に鳴りひびく自分の言葉の反響に耳をすましていた。だが、耳のそばで、シャール氏の声を聞いた老人は、はっとせずにはいられなかった。

「さよう！　死は恐るべきものではございません！」シャール氏は、言い過ぎたと思ってはっとした。そして、こうつぶやいた。「わたくしにも、たとえば母が死ぬときまりました場合……」そして、そのまま咽喉(のど)がしまりでもしたかのように口をつぐんだ。

シャール氏は、ついこのあいだ入れたばかりの入れ歯のせいで、とても話がしにくそうだった。それは、南仏のある歯科診療所の催しにかかる判じ物の懸賞に当選し、その景品としてもらったもので、そこの診療所の特色は、通信の方法によって歯の治療を行ない、患者から歯型を送らせ、それによって入れ歯を作るということだった。シャール氏は、食事のとき、あるいは少し長話をするようなときだけははずしていたが、だいたいこの入れ歯に満足していた。彼は、さっと入れ歯をはずし、くさめをするようなふりをして、それをハンケチの中に入れることがうまくなっていた。いまもまた、そのとおりやったのだった。

口の中が軽くなると、シャール氏は、またもや元気にしゃべり出した。

「わたくしにしましても、たとえ母が死ぬときまりましたところで、べつにびくともいたしません。びくびくいたしたところでなんになりましょう？　もっとも、ああして養老院にいてくれますと、われわれといたしましても安心でして。しかも、すっかり子供にかえって、いや、まったくかわいらしいもんでございまして……」

こう言ってからふたたび口をつぐむと、話の運びをどうつけようかと考えていた。

「あ、われわれと申しましたが、じつはわたくし、ひとり暮らしではないのでございまして。たぶんご承知のことと思いますが？　アリーヌがいっしょでございます……母が昔つかっておりましたアリーヌが……それに、その姪のデデットと申す小娘もいっしょでして。それ、あの晩、若旦那さまが手術してくださいました。ほんの子供でございます……はい」と、微笑を浮かべながら言葉をつづけた。そして、その微笑にはとつぜんこのうえもない微妙な愛情がしめされた。「いっしょに暮らしておりまして、わたくしのことを《ジュルおじさん》なんて申してくれます。習慣なんでございますな……もちろん、わたくしは、彼女のおじではございません。おかしなもんでございますな……」

微笑の影が消えた。顔のうえには、暗い影がひろがった。そして、唐突なちょうしでこう言った。

「三人暮らしとなりますと、なかなか物いりでございまして！」

シャール氏は、ふだんとちがった無遠慮さで、何か火急に耳に入れなければならないことがあるかのように、ぐっと寝台のそばへ歩みよった。それでいて、つとめてチボー氏のほうを見ることを避けていた。チボー氏は、ふいを打たれて、まだ目をすっかり閉じきっていなかった。そしてシャール氏をじろじろながめていた。老人は、何か隠していることがあり、そのまわりをぐるぐるまわっているといったような、明らかにつじつまの合わないことの見えすいている言葉の中に、何かただならぬ不安のかげを見てとっていたのだった。そして、それが、眠ろうという気持ちをはぐらかしていたのだった。

とつぜんシャール氏は、うしろに引きさがったかと思うと、部屋の中を行ったり来たり歩きはじめた。靴の裏皮がきしんでいた。だが、そんなことなど気にかからないといったようすだった。

シャール氏は、荒っぽいちょうしで言葉をつづけた。

「それに、死ということも、わたくしにとりましてはこわくもなんともございません！　それは、神さまのほうの問題なんでございますから……しかし、生きていくということ！　その、生きていくということが恐ろしいんでございまして！　あの、年をとるということがでございますな！」そして、くるりとかかとの上にからだをまわすと、さも聞き返すといったように「え？」と、つぶやいた。それから言葉をつづけて、「わたくし、一万フランの貯えを持っておりました。そしてある晩、それを養老院へ持ってまいりました。さ、これが一万フラン、そして母をつれて来ましたから、と申しまして。それが相場なんでございまして。いやはやじつにけしからんことで……なるほど安心できるにいたしましても、一万フランとは！　何から何までつぎこんだんでございます……デデットでございますか？　もう、貸してももらえません。もう何もございません。（いや、何もないどころの騒ぎではありませんので。アリーヌばあさんからまで、二千フラン貸してもらっておりますから。ばあさん自身のきんちゃく銭を。わたくしども一家のやりくりのためにでございますよ。これも生活のためなのでして……）ええ、計算いたしてお目にかけます。こちらでいただきますのが毎月四百フラン。たいした額ではございません。三人家内。子供のためには、いるだけのものがいりますし。稼ぎにだしてはおりますが、はいる金といってはたいしたこともなく、かえって金がかかるばかりでして……でも、正直のところ、何から何まで気をくばっております。新聞さえも倹約しております……古新聞をとっておいて、それを読み返すことにしております……」彼は声を震わせていた。「古新聞のことなぞお耳に入れて、なさけないやつとおぼしめしでしたらおゆるしください。しかし、キリスト教の世の中になってすでに二千年、やれ文明のなんのと言っておきながら、こんなことってございませんな……」

チボー氏は、しずかに手を動かした。だが、シャール氏は、ベッドのほうを見る気になれなかった。そして、言葉をつづけた。

「四百フランちょうだいしておりますからよろしいようなものの、それがないことになりましたらどういうことになりますやら？」と言って、なかば窓のほうへからだを向けた。そして、何か声でも聞こうといったように頭をあげた。「さよう、遺産でもころげこみませんかぎり！」と、何か大発見でもしたように高い声を出した。しかし、やがてまゆねにしわをよせた。「正直のところ、年に四千八百フランでは、三人家内ではぎりぎりのところでございます。せめてそれくらいにつくちょっとした財産でも――さよう、神さまにして公平でありたいとおぼしめしたら、たしかにくださるだろうと思いますが！　ちょっとした財産といったようなものをくださるだろうと思いますが！　おなさけぶかい神さまのことですし……」

そして、ハンケチをとりだすと、さも人力以上の努力を試みたあととでもいったようにひたいの汗をふいた。

「おたより申すがいい！　これがきまり文句なんでございますよ。サン・ロックの司祭さんたちも、いつもきまってこうおっしゃいます。《おたより申すのじゃよ。あんたには、目をかけてくださるかたがいらっしゃるんだから……》目をかけてくださるかたがおいでになる。さよう、それはわたくしにもわかっております。わたくしには、目をかけてくださるかたがおいでになる。そして、わたくしとしても、たしかに信用し、おたよりしたいと思っております。ただしそれには、まずもって、遺産と申しましょうか……ちょっとした財産とでもいったようなものがございませんと……」

シャール氏は、チボー氏のそばへ歩みよって足をとめた。だが、あいかわらずチボー氏のほうを見ないようにしていた。

「おたより申すということ」と、つぶやくように言った。「それはわけなくできるだろうと思うのですが……――もし、それがたしかということさえわかっておりましたら！」

そして、人になれる小鳥とでもいったような彼の眼差しは、少しずつ老人のほうへ近づいていった。それは、さっと老人の顔をかすめたと思うと、ふたたびたちもどり、老人の閉ざされた目の上、じっと動かないひたいの上にとまり、ふたたび飛び立ったと思うとまたとまり、最後に、まるでもちでつけられでもしたように、じっと一点を見つめて動かなくなった。日が沈みかけていた。チボー氏は、まぶたをあげながら、夕やみの中、シャール氏の目が自分の目にそそがれているのを見た。

この衝撃は、老人をすっかり昏睡から立ち直らせた。じつは、久しいまえから、彼は秘書の将来を保証してやらなければならないと考えていたのだった。そして、そのための形見分けの金額を、きわめて明確に、自分の死後の処置の中に書き記しておいた。だが、遺言状のひらかれるまでは、それを相手にぜんぜん気づかれないようにしておかなければならない。チボー氏は、自分には人間というものがわかると思っていた。そうした彼は、どんな人間をも信用していなかった。もしシャール氏にこの遺贈のことをかぎつけられでもしたが最後、自分がいま、大いに得意になってむくいてやろうと思っている当の本人は、おそらくいままでどおりのきちょうめんな精励ぶりを見せなくなるにちがいないと信じていた。

「シャール君、きみの言われることはわかったように思われるがね」と、やさしく言った。

相手はさっと顔を赤らめて、目をそらした。

チボー氏は、ちょっとのあいだ考えていた。

「だが――さあ、なんと言ったらいいかな？……――きみがいまにおわせたようなことについては、それを、突発的に、盲目的に、誤った慈悲心から……つまり気の弱さから受け入れたりするのよりは、むしろ確固不動な精神に従って、ある場合にはそれを拒むことのほうがより勇気を要する行為だとは言われないかな？」

シャール氏は、立ったままうなずいてみせた。こうした堂々たる演説調できりだされると、彼はいつもすっかりおさえられてしまい、何から何まで先生のご意見どおりおそれいってしまうのを常とした。で、きょうもきょうとて、ここで同意をしぶることなど、とてもできない相談だった。シャール氏はうなずいてしまってから、いまの言葉に賛意を表したのが、とりもなおさず自分の計画の失敗を承認したことになるという事実に気がついた。だが、彼はすぐにあきらめてしまった。それがいつものならわしだった。お祈りをしながら、しかもきわめて正当な願いごとさえ聞きとどけられなかったためしがなかったろうか？　だからといって、神にたいして、けっして反抗したりはしなかった。彼にとっては、チボー氏もまた、おなじようにうかがい知られぬ至高な英知の所有者であり、自分はただ、その前に平伏するように習慣づけられているものなのだ。

彼は、賛意を表し、沈黙している腹をきめて、いざ入れ歯をはめようとした。そして、手をポケットに入れた。と、見る見る顔がまっかになった。入れ歯がない。

「シャール君、きみは気がついていないかね」と、チボー氏は、まえのままの声でつづけた。「きみは、自分で働いて貯えた財産を、あの……無宗教の、いろいろな意味で信用のできない養老院へ投げ出したというので、きみ自身は善意でありながら、いろいろ他人から悪口を言われたな。つまりきみは、自分に資力がなく、それにちょっと顔のきく人の推薦さえあったら、無代で世話をしてくれる司教管区経営のどこかの病院へでもわけなく入れてもらえたはずだ……もしわしが、遺言状の中に、きみの希望するようなことを書いておいたら、わしがいなくなった後、またもや誰か悪がしこいやつの網にひっかかるのは火を見るよりも明らかではないかな？　けっきょくわしの金の、最後の一銭までもしぼり取られることになりはしまいかな？」

シャール氏は、もうそんなことに耳をかしてはいなかった。そして、ハンケチをひっぱり出したときのことを思いだしていた。入れ歯は、きっと敷物の上に落ちたにちがいない。彼は、これまで自分だけしか知らなかった、そして、これをきっかけにほかの人たちにもわかるにちがいないあの道具――おそらくいやなにおいのするであろうあの道具が、人手に拾われたときのことを想像した……彼は、首をのばし、目を大きくあけ、ひとつひとつの家具の下をのぞきこみ、そして、はっとおどろいた家禽とでもいったように、その場ではねてみたりした。

チボー氏は、それを見た。そして今度はきのどくになってきた。《遺贈の額を増してやるかな？》

彼は、シャール氏の不安をやわらげてやろうと思って、ふたたび上きげんで言葉をつづけた。

「なあ、シャール君、どうも世間の人たちは、貧窮ということと貧乏ということを、しばしば混同するきらいがありはしないかな？　貧窮はたしかに恐ろしい。ろくな知恵はつけてくれん。だが、貧乏は？　これはしばしば……天寵の、その……姿を変えたものではあるまいかな？」

チボー氏の声は、おぼれかかった男の耳に聞こえる音とでもいったように、ただはっきりしない音として、シャール氏の耳を打ったにすぎなかった。気をとり直そうと努力した。もう一度、モーニングや、チョッキにさわって見、絶望的な気持ちでうしろのたれ*い*に手を入れてみた。そして、たちまち歓声をあげた。入れ歯は、鍵輪にはさまっていた！

「……貧乏」と、チボー氏はつづけていた。「これがかつて、キリスト教的幸福と一致しなかったためしがあるだろうか？　そして、一時的な財産の不平等は、とりもなおさず社会的平衡の条件そのものになっているのではないだろうかな？」

「ごもっともで！」と、シャール氏はさけんだ。そして、勝ち誇ったような微笑を浮かべ、両手をこすりながら、うわのそらでつぶやいた。「ありがたいこってございます……」

そろそろ力のおとろえかけてきたチボー氏は、目を秘書のほうへふり向けた。彼はいま、シャール氏の口からそうした気持ちの語られるのを聞いて心を動かされ、また自分の賛成してもらえたことにいい気持ちになっていた。彼は、つとめて愛想よくなろうとした。

「シャール君、わしはきみにいい習慣をつけてあげておいた。きみのようにまじめで、精勤な人だったら、これからもたしかに職を見つけることができるだろう……」彼は、ちょっとまをおいた。

「たとい、このわしが、きみより先においとまごいするようなことがあったにしてもだ」

あとに残るものの窮迫にたいしてのチボー氏のこうした落ちついた態度、それはたしかに人を落ちつかせ、人の心を引きつけるにたるだけの力をもっていた。いっぽう、シャール氏の感じていた大きな安心の気持ちは、しばらくのあいだ、将来にたいする彼の不安を忘れさせてくれていた。その眼鏡のうしろには、うれしそうな輝きがうかがわれた。

シャール氏はさけんだ。

「その点ご心配ご無用に願います。なんとかやってまいれましょう！　いわば手がかりといったようなものがいくつかございますので！　ちょっとした仕事とか、実用的な発明の思いつきとかいったようなものでございまして……」こう言って笑ってみせた。「じつは、すでに思いついたこともございます、はい……すぐにとりかかれるようなものがございます……先生がおなくなりになりましたら……」

病人は、かっと目をあけた。彼は、無心に言われたシャール氏の言葉に胸をつかれた。《おなくなりになりましたら……》このばかめ、なにを言おうとしているのだ？

チボー氏が、問いかけようとしているところへ、童貞（スール）セリーヌがはいって来た。そして、電灯のスイッチをひねった。部屋は、ぱっと照らし出された。すると、シャール氏は、終業の鐘をきいた小学生のように、さっと書類をかきあつめるが早いか、何度も頭を下げながら、部屋から逃げ出していったのだった。

二

灌腸の時間になっていた。

童貞セリーヌは、すでにかいまきをはぎ取り、いつもやるようにベッドのまわりをまわりはじめていた。チボー氏は考えこんでいた。彼は、シャール氏の言った言葉、とくに《おなくなりになりましたら》と言ったときの、その語調のことを思いだしていた。きわめてなにげないその語調！　シャール氏は、近く自分のいなくなるということを、一点疑っていないのだ。チボー氏は、いらいらしながら《恩知らずめ！》と思った。そして、自分の心について離れない疑いの気持ちを遠ざけるため、心ゆくままに怒りにその身をまかせていた。

「はじめましょう」と、童貞セリーヌが快活に言った。彼女は、すでに両そでをまくりあげていた。

この操作はなかなかむずかしかった。まず病人のからだの下に、タオルで作った寝わらそっくりのものをさしこまなければならなかった。ところが、チボー氏のからだは重かった。それに彼は、自分からその気になろうとしないで、さも死んだ人といったように、されるがままになっているのだった。それでいて、からだを動かされるごとに、両足にそい、また背のくぼみのあたりに、刺すような疼痛が感じられた。しかもそれは、精神的な苦しみによって、さらに苦しく思われるのだった。こうした毎日毎日の苦しみのひとつひとつは、体面とか恥ずかしさとかを、いやがうえにもいためつけないではいないのだった。

一日一日手間どるようになってゆくその結果を待つため、童貞セリーヌは、心安げにベッドのはしに腰をおろすことにしていた。最初のうちは、時も時、こうした場合、彼女が自分のそばにいるということが病人を憤激させもした。だが、いまとなっては、それもがまんできていた。むしろ、ひとりきりにされないことを喜んでさえいたのだった。

　まゆをしかめ、まぶたをとじて、チボー氏は、頭の中で例の恐ろしい問題をくり返し考えてみた。《自分の病状はそれほど悪いのだろうか》彼は目をあけた。その眼差しはぐうぜんそこにあった陶製の便器に行き当たった。それは童貞（スール）セリーヌが、手のとどくところ、簞笥の上、すぐ目につくところにおいたもので、ぶかっこうな、どっしりしたようすで、いかにもおうへいに待ちかまえてでもいるようだった。

　童貞セリーヌは、こうしたちょっとの間を利用して、ロザリオを繰っていた。

「わしのためにもお祈りをおたのみしますよ」と、とつぜんチボー氏は、いつもとちがった、せきこんだような、もののものしいちょうしでささやいた。

　彼女は、アヴェ・マリアをとなえ終わった。そして、こう答えた。

「ええ、ええ、一日のうちに何度もお祈り申しあげております」

　沈黙。それは、とつぜんチボー氏によって破られた。

「病気はとても重いのですな！　とても……とても重いのですな！」彼は、いまにも泣き出さんばかりにどもりながら言った。

　彼女は、いささか苦しそうな微笑を浮かべながら反対した。

「ごじょうだんを！」

「誰も言ってくれようとしない」と、病人は言葉をつづけた。「だが、わしにははっきり感じられる。

二度とふたたび回復することはあるまい！」そして彼女が言葉をさえぎろうとしないのを見た彼は、いどみかかるような気勢をしめして、「もうわしにも、たいして先の長くないことがわかっている」と、つけ加えた。

彼は、童貞（スール）セリーヌのようすをうかがっていた。彼女は首を横にふりながら、ふたたび祈禱をつづけた。

チボー氏は、恐ろしくなって来た。

「ヴェカール師に会わなければならん」と、しわがれた声で言い放った。

童貞セリーヌは、ただこう言って反対した。

「このまえの土曜日にご聖体をお受けになりました。神さまともちゃんとお話し合いがついております」

チボー氏は答えなかった。こめかみのあたりには、汗が玉をなしていた。あごが震えていた。灌腸がからだを揺りあげていた。それに、恐怖も。

「便器」と、彼はあえぐように言った。

一分の後、深いいきみといきみとのあいだ、うめき声とうめき声とのあいだに、彼は、童貞セリーヌのほうへ恨めしそうな一瞥を投げながらつぶやいた。

「一日一日力が衰えていく……どうしても司祭に会わなければならん！」

彼女は、たらいの水をあたためていたので、彼が一心に自分の顔の表情をうかがっているのに気がつかなかった。

「たってとおっしゃいますなら」と、彼女はあいまいな返事をした。湯わかしを下におろすと、指の先を湯に入れてみた。つづいて、目を伏せたまま何やらつぶやいた。

チボー氏は耳を澄ましていた。《……ご用心なさるにこしたことはございませんから……》

彼は顔をぐったりたれ、キッと歯を食いしばった。

やがて、からだを洗い、下着を取り替え、ふたたび新しいベッドの中に寝かされた彼には、あとはただ苦しむよりほかに仕事がなかった。

セリーヌは、椅子に腰をおろし、ふたたびロザリオをつめぐりつづけた。天井の電灯は消されていた。そして、たけの低いランプが部屋の中を照らしていた。病人の不安はもとよりのこと、その神経的な疼痛にしても、何ひとつまぎらしてくれるようなものはなかった。おどるような疼痛はますます激しくなり、それは腿の裏側をえぐるように走り、あらゆる方向へ向かって放射するかと思うと、とつぜん、小刀でグサッと刺しとおすといったように、腰のあたり、膝蓋骨のあたり、くるぶしのあたり、これが急所と思われるあたりにはげしい痛みを覚えさせた。疼痛はあっても、それが表だって痛まないでいてくれるあいだは……とはいえ床ずれが炎症を起こしているので、ぜんぜん痛みを感じないような時といってはなかった――チボー氏は、目をあけて、じっと正面を見つめていた。そして、彼のさえわたった考えは、おなじ円の中をぐるぐるまわっていた。《みんなどう思っているのだろ

う？　自分でそれと気づかずに、重態になるようなことがあるだろうか？　どうすればそれとわかるだろう？》

童貞（スール）セリーヌは、苦痛が高まってきたのを見て、夕方を待たずに、モルヒネを半量だけ注射しておく決心をした。

老人は、童貞セリーヌが部屋を出て行ったのに気がつかなかった。このしんとした、ほとんどまっ暗といっていい部屋の中に跳梁している悪魔の手の中に、自分がたったひとりゆだねられているのだと思うと、ぞっとせずにはいられなかった。彼は人を呼ぼうとした。だが、発作が、さらにはげしくおそって来た。彼は呼び鈴をつかんだ。そして、必死に鳴らした。

アドリエンヌが駆けつけて来た。

老人は口がきけなかった。あごを引きつらせながら、なにやらわけのわからないことをどなりたてていた。彼は、起きあがろうとしてはげしい努力を試みた。そのため、わき腹にはげしい疼痛が感じられた。彼は、うめき声をたてながら、ふたたびまくらの上に倒れてしまった。

「このままわしを死なせるつもりか？」やっとのことで彼はさけんだ。「セリーヌさんを呼ぶんだ！　司祭さんを呼ぶんだ！　いや、そうじゃない、アントワーヌを呼ぶんだ！　早く！」

はっとおびえたアドリエンヌは、目を大きくみひらきながら老人を見つめていた。それがまた、老人を震えあがらせた。

「早く！　アントワーヌを呼ぶんだ！　すぐに！」

童貞(スール)セリーヌは、薬を入れた注射器を手にしてもどって来た。彼女には、何がおこったのかわからなかった。彼女の目には、召使いが走りながら出て行ったのが見えた。チボー氏は、まくらの上に横倒しになり、興奮の結果、ふたたびはげしい疼痛に襲われていた。注射するには、まさにうってつけのかっこうだった。

「お動きにならないで」童貞セリーヌは、肩を出させながらこう言った。そして、一刻の猶予もなしに注射をした。

家を出ようとしていたアントワーヌは、アーチ形の入口のところでアドリエンヌにつかまった。

彼は、あわただしく階段を駆けあがった。

部屋にはいると同時に、チボー氏は首をふり向けた。恐怖のあまり呼んで来いと言いはしたものの、おそらく来てはもらえまいと思っていたのに、やって来てもらえたことがまず第一に力をつけてくれた。彼は、思わず、どもりながらこう言った。

「おお、来てくれたか?」

彼は、注射のききめを感じはじめていた。彼は、ふたつのまくらの上に身を起こし、ぐっと両腕を差しのべながら、童貞セリーヌがハンケチの上にたらしてくれた幾滴かのエーテルのにおいをかいでいたところだった。アントワーヌは、シャツのくれているあいだから、げっそり肉の落ちた首筋、腱(すじ)のにはさまれてぐっと突き出ているのど仏を見た。あごに見られるかすかな震えは、ひたいのあたりのじっと陰気に動かずにいるのをきわだたせていた。ずっしりした頭、平たい、そして広やかなこめかみ、それに耳。それらは、なにかしら厚皮動物といった感じだった。

「お父さん、どうしました？」と、アントワーヌがたずねた。

チボー氏はなんとも答えなかった。そのかわり、しばらくじっと見つめていたあとで、ふたたび目をとじた。おそらくこうさけびたかったにちがいなかった。《ほんとのことを言ってくれ！　わしはだまされているんだろうか？　わしはもうだめなんだろうか？　言ってくれ！　アントワーヌ、助けてくれ！》だが、彼は息子にたいしてますます高まってくる臆病さから、それにまた、自分の恐怖を高い声に出したが最後、それがたちまち厳然たる事実となってあらわれるであろうという迷信的な恐怖から、そのまま思いとまった。

アントワーヌの目は、童貞(スール)セリーヌの眼差しといきあった。彼女の眼差しは、テーブルのほうをしめしていた。彼は、そこに検温器をみつけて歩みよった。そして、三十八度九分とあるのを見た。彼は、このとつぜんの発熱にびっくりした。これまでというもの、病気はほとんど発熱なしで昂進していた。彼は、ベッドのそばにもどって、手首をとった、それは、病人を落ちつかせようと思ってだった。

「脈はいいですな」と、彼はほとんどすぐに言ってのけた。「どこが苦しいです？」

「まるで外道のような苦しみだ！」と、チボー氏がさけんだ。「きょうは一日苦しかった。わしは……わしはあぶなく死にかけた！　そうでしたな？」彼は、童貞セリーヌのほうへ、威圧的な一瞥を投げた。やがて声のちょうしが変わり、眼差しがおずおずし出した。「アントワーヌ、行ってはいかん。な、わしは恐ろしいのだ……またはじまりはせんかと思うて」

アントワーヌはきのどくになって来た。さいわい、どうしても外出しなければならないような緊急な用事といってもなかった。で、晩飯までいる約束をした。

「さしつかえができたと、電話をかけておきましょう」と、彼は言った。

電話機のある書斎まで行くと、童貞（スール）セリーヌがあとからついて来た。

「きょうのぐあいはどうでした？」

「あまりおよろしくないようです。最初の注射を、正午にしなければなりませんでした。そして、二番めのぶんを、ついいましがたいたしました。半量だけ」と、彼女は言い添えた。「でも、アントワーヌさま、困りますのは、お気持ちのほうなのでございます！　恐ろしいことをお考えになっておいでになります。《みんなおれに嘘をついている、おれは司祭に会いたい。おれはもうじき死ぬんだ》そのほか、いろいろ！」

心配そうなアントワーヌの眼差しは、はっきりこうしたことをたずねているらしかった。《自分でも気がついているんでしょうか……？》童貞セリーヌはうなずいてみせた。彼女には、もう《いな》と答えることができなかった。

アントワーヌは考えてみた。そして《これだけでは体温の説明がつかないぞ》と、思った。

「かんじんなのは……」――こう言いながら、彼は断乎とした身ぶりをした――「あらゆる疑いの芽を、時を移さず引き抜いてしまうことですな」この時、とほうもないひとつの考えが頭を横ぎった。彼は、それをおさえてのけた。「まず第一に、落ちついたひと晩をすごさせること」つづいて、「いずればぼくが言いますから、そのとき、もう半センチ注射してください……すぐ行きますから」

「これで七時までからだがあきました」彼は、部屋へもどるなり快活なちょうしでこう言った。その声ははげしく、顔つきには、病院にいるときのような、緊張した、決然としたものがしめされていた。それでいて、口には微笑を浮かべていた。

「なかなか骨が折れました！　向こうは、病気の子供のおばあさんなのです。えらくがっかりして、電話で、まるで羊のような鳴き声を立てていました。《あの、先生、きょうはお見えくださらないんですか？》」彼はとつぜん、心配そうなようすを見せた。「《申しわけないのですが、じつは父のところへ呼ばれましたので……だいぶようすが悪いのです……》（とつぜんチボー氏の顔がけいれんした。）どうもご婦人というやつは、しまつのわるいものでしてね！　《へえ、お父さまが？　おやまあ、どこがお悪くっていらっしゃいます？》」

アントワーヌは、自分のやっている冒険に酔っていた。彼は、たいしてためらうこともなしにこう言った。

「《さ、なんて言ったものでしょう？……お当てください！……》ぼくは、すこしも騒がず、こう返事をしてやりました。《癌です！　摂護腺を癌にやられているのです！……》」彼は、熱に浮かされたように笑い声を立てた。「まあ、こうでも言わざるを得ないんでしてね！」

　彼は、コップに水をついでいた童貞（スール）セリーヌが、はっとその手をとめたのを見た。そしてとつぜん、自分のいまやっていることに気がついた。不安がさっと心をかすめた。といって、あとへ引くわけにもいかなかった。

　彼は、高く笑いだした。

「お父さん、こうした嘘も、みんなあなたのせいなんですよ！」

　チボー氏はからだをこわばらせ、全身の注意をあつめて聞いていた。その手は、シーツの上で震えはじめた。口に出して言われたどんな打ち消しの言葉にしても、これほどまでにあざやかに、これほどまでにすみやかに、チボー氏の苦悩を追いのけてはくれなかったろう！　アントワーヌの、いかにも思いきった大胆さは、期せずしてあらゆる亡霊を追っ払うことになったのだった。そして、病人を一挙に希望の中心におくことになったのだった。病人は、両眼をあけて息子をながめた。いまや、新しいひとつの感情、愛情の炎が、病人の年老いた心を燃えあがらせていた。彼はなんとか言いたかった。だが、彼に感じられていたのは、なにかしら眩暈（めまい）とでもいったようなものだった。彼は、ちょっと微笑したあとで目をとじた。アントワーヌは、そうした微笑を見のがさなかった。

　もしこれがアントワーヌでなかったら、ひたいの汗をふきながら《うまくごまかしおおせたぞ……》と思ったにちがいなかった。だがアントワーヌは、さっきよりは少し顔色もおちつき、自分の処置に満足しながら、こう思っただけだった。《こうしたからくりには、ぜったい成功するという確信を持

っていることが一番なんだ》

何分かの時が過ぎた。

アントワーヌは、童貞（スール）セリーヌの目を避けていた。

チボー氏は腕を動かした。それから、議論をつづけるとでもいったように、

「だが、わしがこうして、だんだん苦しくなってゆくのはどうしたわけなのだろう？　おまえの血清にしたところで、かえって、痛みを増させるばかりじゃないか……」

「そうなんです。痛みを増させているのです」と、アントワーヌがさえぎった。「つまり、薬がきいている証拠なのです！」

「ほほう？」

チボー氏は、ただ納得させてもらえたらいいのだった。事実、この日の午後は、自分で言っているほど苦しくもなく、もっと苦しみのつづかなかったことが残念にさえ思われていた。

「いまはどうです？」と、アントワーヌがたずねた。発熱のことが心配だった。

ほんとうを言うなら、チボー氏は《とても楽だよ》と答えなければならなかった。だが、彼はつぶやくようにこう言った。

「足が痛む……それに、腰の辺が重くてならん……」

「三時にゾンディールンクをいたしました」と、童貞セリーヌが注意した。

「それに、ここのところが重いのだ……ぐっと圧(お)しつけられているようなのだ……」

アントワーヌは、そうだろうといったようにうなずいてみせた。

「ふしぎですな」と、アントワーヌは、童貞(スール)セリーヌに向かって言った。（彼はいま、どんなふうに言いつくろうべきかを忘れていた。）「じつは、薬をたがいちがいに用いてみた結果を考えているのですが、たとえば、皮膚疾患については、手当をたがいちがいにすることによって、思いもかけない結果が得られます。ひょっとしたら、ぼくとテリヴィエとで、この新しい血清……N十七を連続的に用いることにしたのがいけなかったのかもしれませんな……」

「そうだ。それがいけなかったのだ！」と、確信をもってチボー氏が言った。

アントワーヌは、きげんよさそうに父の言葉をさえぎった。

「でも、それもお父さんのせいですよ！　早くなおりたいって、あんまりやきもきなさるからです！　ぼくたち、功を急ぎすぎたというわけなんです！」

彼は、まじめに童貞セリーヌにたずねた。

「おととい持って来たD九十二のアンプレは？」

彼女は、ぎごちない身ぶりをした。というのは、病人をだますことがいやなのではなかった。病状に応じてアントワーヌが考え出すいろいろな《血清》が、どうもはっきりのみこめないでいたからだった。

「すぐD九十二の注射をやってください。そう、N十七の作用がすんでしまわないうちに、血液の中で、どうまじるかをためしてみたいと思いますから」

チボー氏は、童貞セリーヌ（スール）がためらっているのに気がついた。アントワーヌは、探るような父の一瞥を見てとった。彼は、あらゆる疑念を一掃しようと思って、時をうつさずつけ加えた。

お父さん、今度の注射は、いままでのよりたしかにずっと痛いですよ。D九十二は、ほかのやつより、ずっと薬が濃いいですから、でも、ちょっとのあいだのがまんです……ぼくのえらい思いちがいでなかったら、今夜からずっと楽になります！」

《一日一日うまくなって行くぞ》と、アントワーヌは、ひとりでそっと考えた。職業上の進歩。彼はそれを認めて、ちょっと得意な気持ちだった。それに、そうした不吉な放れわざには、たえず新たに生まれてくる困難、一種危険とでもいったようなものが伴っていた。そして、アントワーヌは、それの魅力を感じないではいられなかった。


童貞セリーヌがもどって来た。

チボー氏は、その注射をしてもらうとき、不安にならずにはいられなかった。腕に針がささるまえから、早くもわめき声を立てていた。

「う、なんていう血清だ！」注射が終わるが早いか文句を言った。「こいつ、とても濃いいぞ！　まるで、皮膚の中に火がはいって行くようだ！　それに、おまえには、このにおいがわかるかな？　まえのやつは、せめてにおいがしないだけでもましだったが！」

アントワーヌは、椅子に腰をおろしていた。彼はなんとも答えなかった。まえの注射と今度のぶんと、そこにはなんのちがいもなかった。おなじアンプレ、おなじ針、注射をしたのもおなじ人。ただ、薬の名だけを違うことにしておいたのだ……考え方さえだましてやれたら、感覚は、たちまちそのつもりではたらき出す！　ああ、なんとなさけないわれらの感覚！　しかもわれらは、そうした感覚を信じているのだ！　ただ、あくまで理性だけを満足させたいという子供じみた欲望！　ひとりの病人のばあいにあっても、一番たえがたく思われるのは、何かがわからないということなのだ。ひとつの現象に名まえをあたえてやりさえしたら、もっともらしい原因を見つけ出してやりさえしたら、われらの貧弱な頭脳が、ふたつの観念を、せめて見せかけだけの論理によってだけでも結びつけることができさえしたら……《理性、理性》と、アントワーヌは思った。《でも、それこそは、あらしの中にはっきり立っている一点なのだ。その理性がなかったら、いったい何がのこるというのだ？》

チボー氏は目をとじていた。

アントワーヌは、童貞セリーヌ(スール)に向こうへ行くように合図をした。(ふたりには、自分たちふたりがまくらもとにいると、病人がずっといらいらすることがわかっていた。)

アントワーヌは、毎日父を見つづけてはいたものの、きょうというきょう、そのとりわけはげしい変わり方に気がついていた。すでに皮膚には、琥珀色の透明さ、よくないきざしの色つやがあらわれていた。むくみは増し、目の下には、たるんだ嚢(ふくろ)ができていた。それに反して、鼻の肉はげっそり落ち、骨ばった鼻梁だけが高く見え、それが顔の表情をいかにも奇怪なものに変えていた。

病人がからだを動かした。

顔だちは、次第次第に元気づいてきた。そこにはもはやふきげんらしいようすも見られなかった。いつもよりずっとひんぱんにひらかれるまつげのあいだからは、大きく見ひらかれた、きらきら光るひとみが輝いていた。

《二本の注射がきき出したんだ》と、アントワーヌは思った。《これからおしゃべりがはじまるぞ》

事実チボー氏は、なにかしら弛緩といったようなものを感じはじめていた。くつろぎたい欲求、そしてそれはなんら疲労感を伴っていないため、はなはだ快適なものだった。それでいながら、彼はやはり自分の死ぬことを考えつづけていた。だが、もうそんなことを信じていない彼は、そのことを平気で口にすることもでき、またそれを口にすることが愉快でさえあった。彼は、モルヒネの興奮に駆られるままに、自分自身のため、また息子のため、りっぱな往生ぎわといったようなお芝居を見せてやりたい誘惑にさえ駆られていた。

「いいかな、アントワーヌ」と、彼はふいにたずねた。言葉のちょうしはおごそかだった。つづいてなんのまえおきもなしに「わしが死んだら、遺言状の中に……」（ここまで言って、そこに、ほんの気がつくかつかないくらいの間をおいた。それは、俳優が、相手のせりふを待つ間とでもいったようなものだった。）

「だってお父さん」アントワーヌは、上きげんで父の言葉をさえぎりながら、「まさかそんなに早く死にたがっておいでとは思いませんでしたな！」と言いながら笑ってみせた。「さっきも言ったように、あれほど早くなおりたがっておいでだったじゃありませんか！」

老人は、いい気になって、手を差しあげた。

「まあ、黙って聞いていてもらおう。なるほどわしは、科学の立場からいって、まだ助からぬ病人というのではないかもしれん。だが、このわし自身には……どうも自分が……だが、じつは死ぬということ自体にしてもだ……もっとも、わしがこの世でしようと志したいくらかのよいことだけは、神さまは、お認めくださすっておいでだろう……そうだ……そして、いよいよこれが最後という時がきたら……」（彼は、アントワーヌが、まだ自分の死を信じない微笑をつづけているかどうかをたしかめるために一瞥を投げた。）「……そうだ、すっかりおまかせするんだな……主のご慈悲には限りがないから」

アントワーヌは、黙って聞いていた。

「そうそう、こんなことを言うつもりではなかった。ところで、遺言状の取りきめの終わりのところに、遺贈に関する表がある……古くから勤めていてくれる人たちのためのものなのだが……その表に、注意してもらいたいと思うのだ。何年かまえに書いたもの。どうも……たいして寛大なものではなかったように思われるのだ。つまり、あのシャール氏についてだが。なるほど、あの男はとてもわしの世話になってはいる。それはたしかにまちがいない。何から何までわしのお陰になっている。だからといって、あの男の……あのいっしょうけんめいな働きぶりにたいして、何かほうびを、たといじゅうぶんすぎるにしても――何かしてやらんでいいだろうか？」

おりおり言葉をさえぎっていたせきが、しばらく彼の口をつぐませた。《かなり急速に、病症が全身にまわりはじめているらしい》と、アントワーヌは思った。《このせきはだんだんはげしくなってくる。それに、吐き気も。しばらくまえから、むくみが下から上へとあがってきているはずなんだ……肺臓と胃と……最初の併発症がおころうとしている》

「わしは」と、チボー氏は言葉をつづけた。彼はいま、阿片のせいで頭がさえ、同時に、その考えにはまとまりがなくなっていた。「わしはいつも、自分が安楽な階級に属しているのを誇りに思っていた。宗教にしても、国家にしても、いつもそうした階級の上に存在しているのだ……だが、そうした安楽には、義務が付随しているはずなのだ……」ここまで言うと、彼の考えはふたたびくるりと方向を変えた。「ところでおまえは、とかく個人主義的な考え方をする悪い性癖を持っている！」彼はとつぜん、アントワーヌに、憤然とした眼差しをそそぎながら言った。「いまに年をとると変わるだろうが」こう言ってから、さらに訂正した。「もっとずっと年をとったら、ということなんだが、わしのように、ひとつの家を作りあげる日になってみたら、だ……ひとつの家を」と、くり返した。彼として、いつも誇りなしには口に出さなかったこの言葉は、彼の心の中に、いくつものおぼろげな反響を呼びさまし、かつて試みたいくつかの演説の断片を思いださせた。思考の連絡はふたたび絶えた。彼は、声を張りあげてこう言った。「そうだ。家というものこそ、社会組織のため、その第一の細胞でなければならないことを認めるなら、家こそは……その家こそは……平民社会における貴族階級を形作るところのものであり……今後、その中からこそ一国の俊才が、生まるべきではないだろうか？　家、家……どう思うな。われらこそは今日の有産国家がそれの上に回転している……その心棒なのではあるまいか？」

「そうですとも、お父さん」と、アントワーヌはおだやかに賛成の意をあらわした。

老人には、その言葉が耳にはいらなかったようだった。老人の言葉のちょうしには、知らずしらずいままでのような演説口調がなくなり、その言おうとしていることもずっとわかりやすくなってきていた。

「おまえも、いまに思い直すにちがいない！　司祭さんも、わしとおなじように、それを楽しみにしておいでになる。いまに思い直す日がこよう。そして、このわしは、早くそうなってくれるようにと念じている……いや、もうそうなっていてくれたらとさえ思っているのだ……この世からおいとまごいをするときにあたって、わしにとってつらいだろうとは思わないか、自分の息子が……申しぶんのない教育をうけ、この家の屋根の下で暮らしてきたおまえのことだ、なあ、……つまり、熱心な信仰をもってほしいというわけなんだが！　いままでよりもっとしっかりした、もっと行ないのうえにあらわしての信仰を！」

《いまのおれ自身がわかったとしたら、おやじはなんと思うだろうな》と、アントワーヌは考えた。

「主から、おたずねをうけないものでもなし……このおれを、けしからんやつだとお思いにならないものでもなし……」と、チボー氏はためいきをついた。「ああ、そうした信仰心をそそぎこむため、お母さんは……あまりにも死ぬのが早すぎたのだ！」

　涙が二滴、まぶたからわきあがった。アントワーヌは、それがわきあがり、やがて頬にそって流れ落ちるのを見た。それは、彼として、まったく思いがけないことだった。そして、ちょっと感動せずにはいられなかった。しかも、その感動は、父が、すこしもうわごとめいたところのない、低い、親身な、思いせまったちょうし――アントワーヌがいままで耳にしたことのないようなちょうしで言葉をつづけたことによって、さらに切実なものになっていった。

「そのほか、まだ言っておきたいことがある。ジャックの死んだことについてなのだ。かわいそうなやつだった……このわしは、為すべきことをすっかりしてやっただろうか？……わしは、厳格にしてやろうと思った。そして、あまりにも峻厳にすぎたのだった。おお主よ、わたくしは認めます、わたくしは子供にたいしてあまりにも峻厳にすぎました……わたくしは、ついぞ子供から信頼を得ることができませんでした……アントワーヌ、おまえからもだ……いや、黙って聞いてもらおう。それがほんとうのことなのだ。それが主のおぼしめしだった。主は、わたしにたいして、ついぞ子供たちの信頼をあたえてくださろうとなさらなかった……わしには子供がふたりあった。彼らはわしを尊敬した。わしを恐れていた。それでいて彼らは、まだほんの子供のころから、すでにこのわしから離れてしまっていた……増上慢、増上慢だ！　わし自身にあっての増上慢。彼らにあっても増上慢……だがわしは、為すべきことをすべてつくしてやりはしなかったろうか？　まだほんの年のいかないじぶんから、ふたりを教会に託してやりはしなかったろうか？　彼らの徳育、彼らの知育に、いつも気をくばってはいなかったろうか？　恩知らずめ……おお、主よ、おさばきをねがいます。これは、はたしてわたくしの罪でございましょうか？……ジャックは、いつも、わたくしにはむかっていました、その最後の日、その死ぬという前日まで！……それにしても！　このわたくしとして……ああしたことに承認をあたえることができましたろうか？　とんでもない……いや、とんでもない」

彼は口をつぐんだ。

「行け、親不孝ものめ！」と、彼はとつぜんさけび立てた。

アントワーヌは、びっくりして父をながめた。それは、彼に向かって言われたものではなかった。またうわごとがはじまったのか？　あごを引きしめひたいを汗にぬらし、両腕を高く持ちあげた父は、まるでわれわれを忘れてでもいるようだった。

「行かないか！」父はふたたび言葉をつづけた。「おまえは自分の親にたいし、親の名まえと地位にたいし、為すべきことを忘れたな！　一個の霊の救いを、一個の家族の名誉を、おまえはだいなしにしてのけたな！　行ないの中には……そうだ、行ないの中には、自分自身をはるかに立ち越え、あらゆる伝統をあやうくしてのけるようなものさえある！　そうだ、わしはおまえを粉砕してくれるぞ！さ、あっちへ行け！」言葉はせきにとぎられた。彼は長く長く息を吸った。それからぐっと声を落とすと、「おお、主よ、はたしておゆるしいただけますものやら……おまえは息子をどうしてしまった？……」

「お父さん」と、アントワーヌは言葉をはさんだ。

「わしには、息子がまもってやれなかった……それにはいろいろわけがあった！　みんなユグノー（プロテスタント）のやつらのしわざなのだ！」

《ほほう、ユグノーのやつら》と、アントワーヌは考えた。

　このことは、老人にとってひとつの固定観念をなしていた。そして、それがどこから出てきているか、誰にもはっきりわからなかった。おそらく――これはアントワーヌの想像だが――ジャックが家出の直後、その捜索の当初において、ちょっとした不注意から、ジャックが、その前年の夏、メーゾン・ラフィットでフォンタナン家へしげしげ出入りしていたことを彼の耳に入れたからのことにちがいなかった。それからというもの、老人は、人がなんと言ってもぜったい考え方を曲げずに、プロテスタント憎しの一念に目がくらみ、それにダニエルとのマルセーユへの逃避行の記憶が頭から離れなかったせいもあろうし、また過去と現在とを混同しているせいもあって、フォンタナン一家にたいして、たえず事件の全責任があるかのように言いたてずにはいなかった。

「どこへ行く？」彼は、身を起こそうとしながら、さらにさけびつづけた。

　ぱっと目をあけた彼は、アントワーヌのいるのを見て安心したらしく、涙に曇った目を彼のほうへ向けた。

「かわいそうなやつだった」と、彼はつぶやくように言った。「あのユグノーのやつらが、あれを誘惑したのだ……家から奪っていったのだ……みんなやつらのしわざなのだ！　そして、あれを自殺するようにしむけたのだ……」

「ちがいます、お父さん」と、アントワーヌがさけんだ。「どうしてそんなことをお考えです、なんだってあの子が……」

「自殺したのだ！　あれは出て行った。あれは、自殺するために出て行ったんだ……」（アントワーヌは、低い声で《……畜生！》という言葉が言われたように思った。だが、いったい何が《畜生！》なのか？　それはまったく意味をなさない言葉だった。）それから先は、絶望しきった、ほとんど無言のすすり泣きに終わり、そのすすり泣きの結果は激しいせきにかわってしまった。だが、そのせきも、たいしたこともなくおさまってくれた。

アントワーヌは、父が眠りかけたのだろうと思った。そして、つとめてからだを動かさないようにしていた。

何分かの時がたった。

「なあ！」

アントワーヌはどきりとした。

「おばさんの息子なあ……そら……知ってるだろう？……そうだ、キルブーフの、マリーおばさんの息子なのだ……いや、おまえは知っとるはずがない。あの息子もやっぱり……わしがまだ子供のころだった。狩りに出かけた晩、鉄砲でやってのけてしまった。どうしたわけかわからずじまいだ……」

チボー氏は、うわのそらのように、かずかずの思い出を思い浮かべながら、きわめて上きげんに微笑していた。

「……おばさんは、いつも歌をうたって、母さんをじりじりさせていたものだった……そうそう……元気な……お馬……さあ、どうだったかな?……キルブーフで、夏休みのあいだ……おまえ、ニクージいさんのガタ馬車を知らなかったかな……ハ、ハ、ハ!……それ、女中どもの行李を落っことしたときだった……ハ、ハ、ハ!……」

アントワーヌは、とつぜん、椅子から腰をあげた。彼にとって、こうした高笑いをきくことは、すすり泣きにもましてつらかった。

この数週間、とりわけ夕方、注射が行なわれたあとで、老人はしばしば、こうしたきわめてたあいのない昔のことを口にした。それは、いまはがらんとした彼の記憶の中で、まるで貝殻の中の響きとでもいったように、とつぜん大きくひろがるのだった。そして、つづく幾日かのあいだ、それを思いだしては、子供のようにひとりで笑っていた。

彼は、うれしそうに、アントワーヌのほうを向き直った。そして、若々しい声でうたいはじめた。

元気なお馬

ほいほい……お馬……

さあさ……行けゆけ

お待ちでござる!

「や、忘れたぞ！」と、彼はじれったそうなようすで言った。「この歌は、《おばさん》もよく知っている。いつもジゼールに聞かせていたっけ……」

彼はもう、自分の死のことも、ジャックの死のことも忘れていた。そして、アントワーヌが出て行くまで、疲れも知らずに、キルブーフでの思い出や、昔の歌の切れはしを、自分の過去の中に求めていた。

三

童貞(スール)セリーヌとふたりきりになると、チボー氏はふたたびもっともらしさをとりもどした。彼は、ポタージュがほしいと言いだした。そして、だまって、それをたべさせてもらった。ついで、童貞セリーヌといっしょに夜の祈禱をとなえ終わると、天井の電灯を消すように言いつけた。

「セリーヌさん、《おばさん》にここへ来るように言ってくださらんか。そして、女中どもも呼んでください。話しておきたいことがあるから」

こんな時刻に呼ばれたのを不服に思いながら、《おばさん》は小きざみ足に部屋の閾(しきみ)をまたぐと、息をはずませながら立ちどまった。ベッドまで、目を届かせようとしてみたがだめだった。背中がかがんでいるのでできなかったのだ。彼女には、家具の足もとだけしか見えなかった。そして、灯火に照らされたところでは、敷物の修繕のあとだけが目にはいった。童貞セリーヌは、ひじかけ椅子をすすめてくれかけた。だが、彼女は一歩うしろに引きさがった。たといたてつづけに十時間、鷺のように一本足で立っていなければならないにしても、こうした黴菌のうようよしている椅子に腰をおろす気にはなれなかったからだった。

ふたりの召使いは、心配そうによりそいながら、暗いところにひとかたまりになっていた。そして、そうしたふたりを、ときどき、思いだしたように暖炉の火が照らし出していた。

チボー氏はちょっとのあいだ考えこんでいた。彼は、アントワーヌのひと幕だけでは、どうもたんのうできずにいた。何かしら抵抗できない欲望が、さらにもうひと芝居こころみさせずにはいなかった。

「わしのおいとまごいも、そうたいして遠いことではないらしい……」彼は、せきをしながら語りはじめた。「苦しみが……苦しみがちょっとやわらいでくれているのを機会に……おまえがたにお別れをしておこうと思うのだ……」

童貞セリーヌは、てぬぐいをたたんでいたが、はっとその手をとめた。《おばさん》と女中たちは、はっと胸をつかれて、なにひと言いわなかった。チボー氏は、ちらと、自分が遠からず死ぬということを話しても、誰ひとり驚いたりしないだろうと思った。そして一瞬、胸かきむしられるような苦悶に襲われた。おりよく、ほかの者たちよりしっかりしていた童貞セリーヌが、こう言った。

「でも先生、だんだんよくなっておいでですわ。なんでまた死ぬなんておっしゃいます？　若先生がお聞きになりましたらなんとおっしゃいましょう！」

それを聞くと、チボー氏は、自分の精神がぐっとたち直るのを感じた。彼はまゆにしわをよせた。そして、彼女を黙らせようと、自由のきかなくなった手をふりまわした。

彼は、まるで暗唱でもするように話しつづけた。

「最後の審判の席に出るまえに、わしは許しをねがわなければならない。みんなに許しをもとめなければならない。わしはたびたび、他人につらくあたった。わしはあまりに厳格すぎて、家の……この家に住んでいるすべての人たちの愛情を傷つけたこともあったと思う。わしは認める……わしには負いめがある……おまえがたみんなに負いめがある……クロティルド、アドリエンヌ、おまえたちふたりにたいしても……とりわけ、いま……このわしとおなじように、苦しいベッドの上に動けなくなっているおまえたちの母親にたいして……あれは、二十五年の長いあいだ、おまえがたにたいして、奉公ということのりっぱな手本をしめしてくれた……最後に《おばさん》……あんたは……」

ちょうどそのとき、アドリエンヌがわっと泣きだした。チボー氏は、思わず狼狽して、自分までもすすり泣きそうになってきた。すでにしゃっくりが催していた。だが、彼は心をとりなおした。そして、ひと言ひと言重々しく、

「……あんたは、そのつつましい生活のすべてをささげ、妻を失ったわしの家庭に来て、わが家の

ともしびをまもるためにずっとつくしてくださった。子供らのため……母親代わりとして……。そのためには、その母親をも育ててくれたあなた以上に、適任な人があっただろうか？」言葉と言葉とのあいだ、彼が語りやめるごとに、暗いところに身をよせていた女たちの泣き声が聞こえた。《おばさん》の背はますますかがみ、その頭はたえまなしに揺れ、ふるえている唇からは、しんとした中で、何か吸ってでもいるような軽い響きが聞かれていた。

「あんたのおかげで、あんたのこまごまとした心づかいのおかげで、わたしたちの家庭は、その道を……そうだ、主のごらんくだすっておいでのその道をつづけることができたのだった……わしはいま、改めてみんなのまえで礼を言う。そしてあなたに最後のお願いをしたいと思う。さて、いよいよとなったとき……」自分の言葉にすっかり浮かされた彼は、恐怖をおさえるために、ちょっと言葉を切り、いまの自分の状態、注射をしてから楽になった状態のことを考えてみずにはいられなかった。彼は言葉をつづけた。「いよいよとなったら、わしはあんたに、あんた自身で、高い声で、あの、そら、美しいお祈り、あの……臨終の連禱をとなえてもらいたいのだ……それ、あんたといっしょになくなった家内のまくらもとで……部屋もこの部屋……なあ……このおなじ十字架の下でそれをとなえたものだったが……」

彼の眼差しは、何か暗いほうをさがしていた。マホガニーの家具、青いレプス織の窓掛けのついたこの部屋は、彼がいつも住みなれてきた部屋だった。これこそは、かつてルアンで、何カ年かのあいだをおいて両親がつぎつぎになくなるのを見送った部屋とおなじ飾りつけをされた部屋……彼は、その部屋を、そっくりパリへ移させたのだ。これこそは、彼の青年時代の部屋であり、新婚の日の部屋でもあった。三月の寒い晩、アントワーヌがそこで生まれた。ついで十年の後、おなじく冬の夜のこと、妻は、ジャックを生んだあとで、この部屋の中で死んでいった。すみれを散らした大きなベッドのまんなかで、すっかり血の気を失って、妻は死んでいったのだった……

彼の声は震えをおびえた。

「そしてわしは……あれが天国からわしに力をかしてくれるよう……その勇気を……そのあきらめを……そうだ……あれ自身しめした勇気をあたえてくれるようにと祈っている……」彼は目をとじた。そして無器用らしく両手を合わせた。

彼は、眠っているらしかった。

童貞(スール)セリーヌは、召使いたちに、そっと引きさがるように合図をした。

主人のもとを離れるまえに、彼女たちは、さもこれが見おさめとでもいったように、じっと彼のほうをながめた。廊下のあたりで、アドリエンヌのすすり泣きと、《おばさん》に腕をかしているクロティルドの、おしころされたようなおしゃべりが聞こえた。女たちは、いまどこへ行っていいかわからなかった。彼女たちは台所に落ちついて、そこに車座をつくり、涙を流していた。クロティルドは、合図があったらすぐ司祭さんを呼びに行けるために、今夜は夜明かしだと言いわたした。そして、時間をむだにしないよう、すぐにコーヒーを挽(ひ)きはじめた。

ただひとり童貞セリーヌだけは、どう考えていいかを知っていた。こうしたことには慣れている彼女だった。彼女によれば、瀕死の病人に見られる平静さは、それは病人が、本能の奥で――もっとも、それは思いちがいの場合が多かったにせよ――自分の死期をそうさしせまったものと考えていないことの証拠だった。そうしたわけで、彼女は、部屋をかたづけ、火を消したあとで、いつも寝ることになっていたたたみベッドを引き出した。そして、十分すると、この暗い部屋の中で、患者とは言葉をかわすことなく、いつもの晩とおなじように、祈禱から眠りへとしずかにすべりこんでいった。

だが、チボー氏は眠っていなかった。二度の注射は、彼を引きつづき楽にさせてくれていた。だが、彼はそのために眠れなかった。いろいろな考えや計画でいっぱいの、このなんともいえない快い不動の気持ち。彼はいま、身のまわりに恐怖をまきちらしたことによって、自分自身決定的にその不安から救われたような気持ちになっていた。眠っている童貞セリーヌの呼吸は、ちょっとうるさく思われないでもなかった。だが彼は、自分の病気がなおり、いろいろ礼の言葉を添えて――そしてまた、彼女の属している修道院への十二分な寄進と共に――彼女を帰すときのことを楽しく思い浮かべていた。寄進の額はどれくらいにするか？　それはいずれ考えるとしよう……近いうちに、だ。ああ、早く元気になりたいものだ！　自分がいないため、仕事はどんなになっているか？

まきが一本、灰の中にくずれ落ちた。彼は、片目を細くあけた。立ち直った炎が、ためらいがちに、天井に影をおどらせていた。彼はとつぜん、キルブーフで、火をともしたろうそくを手にし、がたがた震えながら、一年じゅう硝石とりんごのかおりのしている、じめじめした廊下に立っている自分の姿を思い浮かべた。彼の前には、たくさんな大きな影が生まれていた。そして、それはいま見る影とおなじように、天井で踊っていた……あの、毎晩マリーおばさんの部屋で見た、恐ろしいたくさんな黒い蜘蛛！……（そのころ臆病な子供だった彼、いまはこうして老人になっている彼、両者もぴったりひとつになって、それをはっきり区別するには、考え方のうえでの努力を必要とした。）

置き時計が十時を打った。つづいて十時半。

キルブーフ……がた馬車……養禽場……レオンティーヌ……

偶然によって記憶の底からかきおこされたこうした思い出のかずかず、それは、いつまでも表面に浮かんだまま、二度と沈んでいこうとしなかった。古いひとつの歌が、こうした子供らしい思い出の、まるで断続した伴奏とでもいったようにうたっていた。歌の文句は、次第にできあがってくれた最初の部分と、思いがけなくやみの中から浮かび出してくれたくり返しの文句をのぞき、ほとんど思いだすことができなかった。

元気なお馬
かわいいお馬
どんな駒より
姫さまびいき
さあさ、行けゆけ、お馬は走る！

さあさ、行けゆけ、お待ちかね！

時計が十一時を打った。

……元気なお馬
かわいいお馬

四

翌日、四時ごろ、アントワーヌは往診のあいだに家のすぐそばまで来たので、ようすを見ようと思って家にもどった。その朝、チボー氏はかなり衰弱していた。熱はまださがらなかった。併発症のためだろうか？　それとも、全体的な病勢の進行にすぎないのだろうか？

アントワーヌは、こうした時ならぬ見舞いが、おそらく病人を心配させるだろうことを思い、病人に姿を見られたくないと思った。彼は、廊下から化粧室へはいって行った。ちょうどそこに童貞（スール）セリーヌがいた。彼女は、低い声で安心させてくれた。いままでのところ、たいして悪いこともない。いま、チボー氏には注射がきいている。（こうして次から次へのモルヒネの注射は、苦痛に堪えるため、それをせずにはいられないものになっていた。）

しっかりしめられていない部屋の戸口からは、つぶやくような声、歌をうたう声が聞こえていた。アントワーヌは耳を澄ました。童貞セリーヌ（スール）は肩をすくめてみせた。

「ひっきりなしに《おばさん》を呼んでこいとおっしゃいます。よくわかりませんが、歌をうたってもらうのだとおっしゃいまして。けさからそのことばかりおっしゃっておいでで」

アントワーヌは、つまさきだって歩きながら近づいた。しんとした中に、細々とした《おばさん》の声が高まっていた。

元気なお馬
かわいいお馬
どんな駒より
姫さまびいき！
アンダル生まれの目もとに惚れて
姫が好きだというお馬。
さあさ、行けゆけ、お馬は走る！
さあさ、行けゆけ、お待ちかね！

そのとき、アントワーヌの耳には、ひび割れた鐘のような父の声が聞こえた。息を切らしながら、くり返しのところを歌い返しているのだった。

　さあさ、行けゆけ、お待ちかね！……

つづいて、ふるえる笛の音のようなちょうしで、

　牧のほとりの
　きれいな花よ。
　姫のひたいを
　かざりたや！
　こちら花摘み
　おぬしは草よ！
　（ほんに好みはまちまちな。）

「そうそう、それだ！」と、チボー氏は、勝ち誇ったように言葉をはさんだ。「マリーおばさんがい

つも歌っていた。ラ……ラ……ラ……おぬしは草よ……ラ……ラ……ラ……おぬしは草よ！」
ふたりは声をあわせてまた歌いだした。

さあさ、行けゆけ、
お待ちかね！

「ああしていらっしゃるあいだは」と、童貞（スール）セリーヌがささやいた。「なにも苦情をおっしゃいません」
アントワーヌは、暗黙として、そこを離れた。
家番室の前を通りかかった彼は、家番の声に呼びとめられた。いましがた、郵便配達が手紙を入れていったのだった。アントワーヌは、うわのそらでそれらの手紙を受け取った。心はたえず父の上へ走っていた。

元気なお馬
かわいいお馬

彼はいま、病める父にたいしての自分の感情に驚いていた。一年まえ、チボー氏が絶望だと知ったとき、彼は、自分では愛していないつもりの父にたいして、当惑させられるような、また否定することのできないような愛情を感じさせられたものだった。それはきわめて新しい愛情のように見えていながら、じつは、取り返しのつかないことの近づくことによってかきたてられた、昔ながらの愛情のようにも考えられた。こうした感情は、それに引きつづく歳月というもの、絶望ときまった患者にたいする医者としての愛情によってさらに強められていった。これに宣告をくだすもの、それは自分をほかにしてあり得ないのだ。そして、自分としては、できるだけ平静に、患者をその終わりへと導いていってやらなければならない。

すでに幾足か往来へ出ていたアントワーヌの目は、ふと手にした一枚の封筒の上に落ちた。

彼は、はっとして立ちどまった。

ユニヴェルシテ町、四番地ロ号
ジャック・チボー殿

ジャックの名あてでは、いまでも時おり、書店のカタログとか広告とかいったようなものが届くことがあった。だが手紙とは！　青みがかった封筒。男の筆跡――それとも女かもしれない？　背の高い、走り書きの、ちょっと高慢くさいところの見えるこの筆跡！……彼は、くるりと方向を転じた。

まず、考えてみなければ。彼はふたたび書斎へもどった。だが、椅子に腰をおろしもしないうちに、彼は決然、手紙の封を切った。
最初の言葉から彼の心は高鳴っていた。

プラス・デュ・パンテオン一番地ロ号
一九一三年十一月二十五日

拝啓
ご高作拝読……

《ご高作？ では、ジャックは作品を書いているのだろうか？》するとたちまち、《生きている！》という確信が生まれた。手紙の文字が踊りはじめた。アントワーヌは、もの狂おしく差出人の名まえをさがした。《ジャリクール》

ご高作きわめて興趣ふかく拝読つかまつり候。
もっとも、一老学究たる小生にとりて……

《ははあ、ジャリクール！　ヴァルディウ・ドゥ・ジャリクールだ。大学教授の、アカデミー会員の……》アントワーヌは、彼の評判をよく知っていた。その蔵書の中にも、ジャリクールの著書が二、三冊あった。

もっとも一老学究たる小生にとりて、小生の古典的教養、かつは小生一個の趣味の大半と相容れざる小説的形式にたいし、いささかの留保これあるべきはご推察のことと存じ候。実のところ、ご高作の内容、形式ともに小生の賛し得ざるところにこれあり候。ただし、小生は、御作が、そのきわめて果敢なる個所にありても、なおかつ一個の詩人、心理研究家の筆に成りたるものなることを認むるにやぶさかならず、拝読の際、しばしば小生の友人たる一楽匠が、若き革命的一作曲家より（おそらくは貴下ご朋友のひとりにてもこれあらんか）きわめて大胆なる詩作を示され——速やかに持ち去れ。予はあやうくこれに興をいだくに至るべければ——と申せし言葉を思い起こし候。

ジャリクール

アントワーヌは、立ちながらわなわな震えていた。彼は椅子に腰をおろした。彼は、自分の前、テーブルの上の手紙から目を放さなかった。じつをいうと、ジャックが生きているということ、それにはべつに驚かなかった。彼には、弟が自殺したと考えるべきなんの理由もなかったからだ。手紙を手にしたときの最初の衝動は、猟師の感じるのとおなじものだった。彼はたちまち、いまを去る三年まえ、失踪した弟をさがすため、何カ月というもの、ありとあらゆる足取りを求めて歩いたときの、あの猟犬のような本能のよみがえってくるのを感じた。と同時に、弟を思う愛情、弟にあいたいというあえぐような欲望のはげしさに、すっかりあがってしまっていた。この四、五日来――そしてとりわけけさ――彼は幾度となく、こうして老人のまくらもとに自分だけしかいないことを思って、何かしら憤然とした気持ちを感じないではいられなかった。こうした重大な責任のある立場に立たされているおりもおり、自分の責任を捨てて家出をしている弟のことを思えば、どうして腹を立てずにいられよう？　それにしてもこの手紙は！

彼にはひとつの希望が生まれた。ジャックの居どころを突きとめ、いまの事態を知らせ、呼びもどしてやるのだ！　そうとすれば自分ひとりだけでなくなれるのだ！

彼は、ふたたび手紙を手にした。プラス・デュ・パンテオン、一番地ロ号……ジャリクール……彼はちらりと置き時計のほうを見た。そして、さらに一瞥を手帳にあたえた。

《よし。きょうの午後、往診が三つ残っている。四時十五分、アヴニュ・ドゥ・サクス。これは急ぎのやつだからはずせない。それから、アルトワ町の猩紅熱(しょうこうねつ)の初期のやつ。これもはずせないが、べつに約束はしておかなかった。第三のやつは回復患者。これは延ばしてもかまわない》彼は立ちあがった。《すぐこの足でアヴニュ・ドゥ・サクスへ。それからすぐにジャリクールをたずねる》

五時ごろ、アントワーヌはプラス・デュ・パンテオンへやって来た。古い家。エレヴェーターもない。(もっとも、きおいこんでいたので、あったにしても乗らなかったにちがいない。)彼は、急いで階段をあがった。

「先生はお出かけでございます。きょうは水曜日……高等師範学校で五時から六時までご授業がございまして……」

《落ちつくんだ》と、アントワーヌは階段をおりながら、われとわが心に言いきかせた。《そのあいだに、ちょっと猩紅熱の患者の往診に行ける》

きっかり六時に、彼は高等師範学校の前でタクシーを捨てた。

彼は、弟の家出の後、校長にあいに行ったときのことを思いだした。つづいて、いまは昔となった夏の日のこと、ジャック、ダニエルのふたりとこの陰気な建物の中に来て、入学試験の結果発表を待っていたときのことを思いだした。

「まだご授業中でございます。二階へおあがりください。生徒たちの出るのがお見えでしょうから」

風が、ひっきりなしに雨天体操場、階段、廊下などを吹き抜けて口笛を吹いていた。貧弱にちらりほらりとばらまかれた電灯は、ちょうどケンケ・ランプのようなすすけたようすを見せていた。こうした敷石、こうしたアーケード、はげしい音を立てるほうぼうのドア、あかじみた壁の上に、ちぎれた掲示を秋風になぶらせている暗いがたがたな大きな階段、そこに見られる荘重さ、静けさ、なげやり、そうしたものは、学校に変えられたどこか田舎の司祭館とでもいったような感じだった。
何分かの時がたった。アントワーヌは、じっと身動きもしないで待っていた。ゆか石の上に、そっと柔らかな足音がすべって行く。毛深い、だらしのないようすのひとりの生徒が、スリッパを引きずり、手の先に何かびんをぶらさげて、じっとアントワーヌのほうを見ながら通って行った。

また沈黙。と、たちまちざわめきの声。議会さながらの喧噪の中に、部屋の戸がさっとひらかれた。学生たちは、群れをなして笑いながら、たがいに呼びかわし、押し合っていた。ついで彼らは、冷たい廊下の中に、急いで散らばっていった。

アントワーヌはようすをうかがっていた。（教授は、むろん一番あとから出て来るにちがいない。）蜂の巣がからになったらしく思われたとき、彼はそのほうへ近づいて行った。いくつかの胸像が飾られ、そして光線の不足している板張り壁の教室の奥に、背の高いひとりの白髪の人物が立ったまま、うつむきこんで、気ののらないようすでテーブルの上の書類をかたづけていた。ジャリクール氏にちがいなかった。

教授は、自分ひとりのつもりだった。アントワーヌが音を立てたのを聞くと、顔をしかめながらからだを起こした。大柄な男だった。そして、前を見ようとして、半分からだをねじ向けて横顔を見せた。というのは、彼は、さやえんどうのように厚いモノクル（片眼鏡。ひとつの目にだけはめる眼鏡）を通して、片ほうの目だけしか見えなかったから。誰かいるなと見てとると、席からはなれ、慇懃（いんぎん）な態度で、こちらへといったようすをした。

アントワーヌは、ひとりの老教授を想像していた。ところが、明るい色の服装、教壇というよりむしろ馬からでもおりて来たらしいひとりの紳士を目のあたり見て、ちょっと驚かずにはいられなかった。

彼は、自分のほうから名まえを名のった。

「……学士院でのご同僚、オスカール・チボーのせがれでございます……きのうお手紙をいただきました、ジャック・チボーの兄でございます……」そして相手が、まゆをあげ、慇懃ではあるが、傲然と身動きせずにいるのを見ると、単刀直入に切り出した。「ジャックについてご存じでしょうか？彼はいま、どこにおります？」

ジャリクールは、驚いたようにあごをふるわせた。

「じつはこういうわけでございます」と、アントワーヌは言葉をつづけた。「わたくし、お手紙を開封しました。弟は失踪中なのでございます」

「何？　失踪された？」

「三年まえから失踪しております！」

ジャリクールは、かなり唐突に、顔を前方につき出した。近眼で、人を射るような眼差しは、モノクルを通して、ぐっとそば近くから青年の顔を見すえていた。アントワーヌの頬のうえには教授の息が感じられた。

「はあ、三年まえから」と、アントワーヌはくり返した。「家出の理由も明らかにせず、父にも、わたくしにも、ほかの誰にも、なんの消息もよこしません。先生だけは例外でした。そうしたわけで、急いで伺った次第です……生死のほどさえわからずにいました！」

「生死とおっしゃる？　生きておいでになります。作品まで発表しておいでですから！」

「いつでしょう？　どこで発表いたしました？」

ジャリクールは答えなかった。とがった、きれいにそられた、そして深いみぞの刻まれたあごは、高いカラーの上から、かなり横柄なようすでのぞいていた。ほっそりした指が、長く、しなやかな、とても白いひげの先に戯れていた。彼は、言葉をにごすようにつぶやいた。

「じつはわたしも知らないのでして。作品にも、べつに《チボー》と署名してあったわけではない。ただわたしがその変名をそうだと思っただけのことなのです……」

「変名とおっしゃいますと？」アントワーヌは、すでにたまらない失望感にしめつけられていた。

じっと彼を見すえていたジャリクールは、心を動かされてこう言い直した。

「でも、思いちがいではないはずです」

彼は、守勢に立った。それは、責任を極度に恐れてのためではなかった。ただ生まれついて無作法がきらい、また他人の私事に首を突っこむことを恐れているからにほかならなかった。アントワーヌは、相手の警戒を一掃してやる必要を感じた。そして、次のように説明した。

「何より困りますのは、一年このかた、父は絶望を宣告されております。病勢は、どんどん進んでいっております。あと何週間かで、おいとまごいということになりましょう。わたくしども兄弟ふたりきりでございます。こうしたわけで、お手紙を開封した意味もおわかりいただけると思います。ジャックが生きており、会うことができ、現在の事情を伝えてやることができましたら——彼の性質はわかっておりますー—すぐにもどってきてくれましょう！」

ジャリクールは、ちょっとのあいだ考えこんでいた。その顔を、けいれんしたようにゆがめながらも、やがて、いかにも自然に手をさし伸べた。

「そういうわけならお話はべつです。進んでお力になりましょう」彼は、ためらっているようだった。彼は、ぐるりと部屋の中を見まわした。「ここではお話しできません。なんなら宅まで、ごいっしょにおいで願いましょうか？」

ふたりは、足早に、ひとことも言葉をかわさず、こがらしの吹きすさぶがらんとした学校を抜けて歩いて行った。

落ち着いたユルム町までやって来たとき、ジャリクールは、親しそうな口調で話し出した。

「なんとかお力になりましょう。変名は、わたしにとって明白なものに思われました。ジャック・ボーチー。いかがです？　しかも、ご筆跡に見覚えがありましたので。弟さんからは、すでに一回手紙をいただいておりました……わずかばかりのことにはしても、知っているだけのことはお話ししましょう。ところで、まず第一に伺いたいのは……どうして家出をなさいました？」

「どうして？　じつはそれについては、何ひとつこれと思い当たる理由が見つかりませんでした。弟は、激しい性格、悩ましい性格の持ち主でした……といって、夢想家とは申したくございません。

行住坐臥、とかく常軌を逸した点がありました。よくわかったように思っていますと、その日その日の彼は、前日の彼とはちがっています……ここで申しあげておかなければなりませんのは、ジャックは、十四歳のとき、すでに一回家を飛び出しております。ある朝のこと、ひとりの友人をさそって家を飛び出し、三日たってからトゥーロン街道で見つかりました。医学的には――じつはわたくしは医者でございますが――こうした病的な家出については、すでにずっとまえから書物にはっきり書かれております。ジャックの最初の家出、これは厳密に申しますと病理的とも申せます。しかるに、三カ年にもわたる今度の失踪は？　彼の生活をしらべてみても、そこには家出の理由としては何ひとつとしてみあたりません。幸福に暮らしていたらしく思われます。夏休みも、家族といっしょに平穏無事に過ごしました。高師の試験にはきわめてりっぱな成績で合格し、十一月初旬入学するばかりになっていました。どうもまえから予定したことではなかったらしく思われます。と申しますのは、荷物は元より、金といってはほとんど持たず、書いたものをいくらか持っていっただけでした。友人の誰にも打ちあけず、ただ、高師の校長だけに退学願いを出していました。わたくしもそれを見たのですが、家出の日の日付になっていました……ちょうどわたくしは、ひと晩泊まりで旅に出ていまして、ちょうどその留守中のできごとでした」

「ですが……弟御さんは、高師の入学を大変ためらっておいでのようでしたが？」と、ジャリクールがさぐるように言った。

「そうお考えになりますか？」

ジャリクールは、それ以上なにも言おうとしなかった。そして、アントワーヌも口をつぐんだ。

あの悲痛なときの思い出は、絶えず彼の心を動揺させていた。留守と言ったのは、それはあのル・アーヴル行きのこと、ラシェルのこと、ロマニア号のこと、いやおうなしに彼女をさらわれたときのことなのだった……そして、あえぎあえぎパリへもどって来たとき、家の中は上を下への騒ぎだった。弟が、きのうから帰っていないという。父は、気ちがいのようになり、強情を張り、警察にもそのことを知らせ、《自殺しに行ったのだ!》と、わめきちらして、それ以外のことは何ひとつ口にしようとしなかった。恋愛悲劇のそのあとが、家庭悲劇というわけだった。もっともいまにしてみれば、そうした打撃があったればこそ、自分は救われたのだとも考えられた。弟の踪跡をさがし出さなければというわき目もふらぬ考えが、ほかのわずらいをすっかり払いのけてくれたのだった。彼は、病院がいそがしかったにかかわらず、からだのあいている時間を利用して、市庁の各課、モルグ(パリにある変死体収容所)、私立探偵事務所と、次から次へ走りまわった。あらゆることに、身をもって当面しなければならなかった。病的な、足手まといになるばかりの父の興奮。一時はほんとに健康をそこなうほどだったジゼールの悲嘆。友だちたちの来訪。毎日毎日の郵便物。あらゆる方面——外国へまでも手をのばし、しかもたえずむなしい希望しかあたえてくれなかった数かぎりない私立探偵の調査の結果。けっきょく、ああした疲れきった生活が、当時の彼を、彼自身から救い出してくれたのだった。そして、むなしい努力の数カ月の後、次第次第に捜索のほうを断念しなければならなくなったとき、そこにラシェルなしで生活する習慣が作りあげられていたのだった。

ふたりは、足早に歩いていた。それにもかかわらず、ジャリクールは話しつづけてやまなかった。都会で暮らすものの性質として、黙っていられなかったからだった。彼は、社交人らしい親切さを見せて、あれやこれやと話しつづけた。だが、アントワーヌは、愛想よくされればされるほど、そこにかえって距離感を感じていた。

ふたりはプラス・デュ・パンテオンに着いた。ジャリクールは、歩度もゆるめず、五階までの階段をあがっていった。自分の住まいの段の上に立ったとき、彼はぐっとからだをのばし、帽子をぬぐと一歩うしろへ引きさがってから、アントワーヌの前に自分の住まいのドアをあけた。まるで、《鏡の間》(ヴェルサイユ宮殿にある鏡の間)のドアとでもいったように。

玄関には、ポ・ト・フー(肉と野菜とでつくったスープの一種)に入れられたあらゆる野菜のにおいがこもっていた。ジャリクールは、そこには足をとめないで、もったいぶったようすで、書斎の手前にある客間の中に招じ入れた。その小さな部屋は、はめ木細工のいろいろな家具、つづれ織の椅子、こっとう品、古い肖像などでいっぱいだった。書斎というのは、薄暗い一室。しかも狭く、きわめて天井の低い感じだった。というのは、奥の壁に、ソロモン王訪問のシバの女王行列をあらわしたものものしい壁掛けがかけられていたが、それが壁の高さときわめてふつりあいであるため、その上下を折らなければならず、等身大以上の人物の足が断ちきられ、冠が、長押(なげし)のところまで届いていたからのことだった。

ジャリクール氏は、アントワーヌに椅子をすすめた。そして自分は、取り散らしたマホガニーのテーブルの前に据えた安楽椅子の、平たくつぶれた、色あせたクッションの上に腰をおろした。そこは、彼がいつも勉強するところだった。安楽椅子の両側のもたれのあいだ、オリーヴ色ビロードの座部の上、そこにあおむけにされた彼の首、骨ばった顔、かぎなりの大きな鼻、はげあがった広いひたい、そして、さも白粉(おしろい)をはたいたとでもいうような白い巻き毛は、そこに一種の特徴のある風格をしめしていた。

「さて」と、彼はやせた指からすべり落ちた大きな指輪をもてあそびながら言った。「思い出をかきあつめてみましょうかな……弟御さんとのご交際は、最初は文通にとどまりました。そのころ——もう四、五年にもなりましょう——弟御さんは高師の入学試験の準備をしておいでのようでしたな。おぼえておりますところでは、弟御さんは、わたしがずっと昔に出した書物について、手紙をおよこしになったのでした」

「そう」と、アントワーヌが言った。「『世紀の黎明』というご本で」

「お手紙は取ってあると思います。わたしは、そのちょうしにうたれました。そしてご返事をしたためました。それだけではない、一度おたずねくださるようにとおさそいさえもしたのでした。だが——少なくもその当時は——たずねてお見えになりませんでした。入学試験に合格してから、はじめてたずねて見えました。そして、これがわたしとの交渉の第二期になります。二期とはいっても、それは短いものでした。わずか一時間お話ししただけ。ある晩、かなりおそく、ふらりとお見えになりました。さよう、いまから三年まえ、入学期の少しまえ、つまり十一月の初めでした」

「ちょうど家出の直前です！」

「わたしはお目にかかりました。いつも若い人たちとはあうことにしていますので。精力的な、熱情的な、そして、その晩は熱でもおありになるらしいお顔だちで、いまもはっきりおぼえております」（その晩のジャックは、彼に、興奮した、かなり誇大妄想的な少年として映っていた。）

「弟御さんは、ふたつの考えのあいだに迷っておいでで、つまりわたしの意見を求めに見えたというわけでした。高師へはいって、おとなしく学業をおさめたものか、それともほかの道をえらんだものか？　もっとも、これについては、ご自身まだはっきりしたことがわかっておいでにならないようすで、お見受けしたところ、試験を放棄し、気ままに勉強し、物を書いていこうとしておいでのように思われました」

「気がつきませんでした」アントワーヌはつぶやくように答えた。彼は、あのラシェルの出発に先だつ一カ月、彼自身の生活がどんなであったかを思いだした。そして、ジャックを、ぜんぜん放任しておいたことを、われとわが心にとがめていた。

「じつは」と、ジャリクール氏は、かなり身についた媚態をしめしながら言葉をつづけた。「そのときどうすることをおすすめしたか、はっきりおぼえておりません。もちろん——学校はおやめにならないようにおすすめしたと思いますが……ああした素質のかたがたには、われわれの教育は、けっきょくなんの害をもなしませんから。つまりああしたかたがたは、本能的に、選択する術を心得ておいでになるのでして。彼らは——さ、なんと申したらよろしいか？——素姓の良さに基づく磊落さとでもいったようなものを持っていまして、けっして人の言いなりにはなりません。要するに学校などは、臆病者とか、きちょうめんな者たちにとってだけ宿命的なものというわけですな……それに、お見受け申したところ、弟御さんは単に形式的に相談にお見えになったというだけのこと、ご決心はすでにきまっておいでのように思われました。このこと自体、まさにりっぱな天分——事をやりとげずにはいられない天分をお持ちの証拠とは言えますまいか？　弟御さんは、激しい……若々しい口調で、校風、規律、教授たちなどの話をなさいました。わたしの記憶ちがいでなかったら、ご家庭での生活のことまで話してお聞かせくださいました……どうです、お驚きになりましたか？　わたしは、ひじょうに若い人たちが好きでして。彼らは、わたしを、早く老いこむことから守ってくれます。彼らは、文学の教師であるわたしの奥に、なんでも安心して大胆に語り得る、無遠慮な老詩人としてのわたしのあることを認めていてくれます。そして、弟御さんも、わたしの記憶ちがいでなかったら、この点さっさとおやりでした……わたしは、青年の潔癖さというものがかなり好きでして。青年が、生まれつきあらゆるものに反抗することを、むしろ好もしい傾向とさえ思っております。学生たちの中で物になった連中は、すべてそうした手に負えぬやから、わたしの師匠であるルナン先生（エルネスト・ルナンのこと）の言われたように、《口に毒をたたえ》て人生に踏み入ったような連中でした……それはそうと、弟御さんのお話にもどりましょう。どういうふうにしてお別れしたかはおぼえませんが、その後ほどなく、たぶん翌日だったと思いますが、短い手紙をいただきました。手もとに取ってございますが。昔ながらの編纂癖と申しましょうか……」

彼は、立ちあがって戸棚をあけると、何か書類を取り出してきてテーブルに載せた。

「いや、手紙と申すのではありません。ただホイットマンの詩を写したもので、べつにご署名はありません。しかし、弟御さんのご筆跡は、一度見たら忘れられるものではありませんので。いかがです、なかなかりっぱに書けていましょう?」

こう言いながら、一枚の紙片をひらいて、さっと目をとおすと、それをアントワーヌに差し出した。

アントワーヌは、はっとせずにはいられなかった。神経質な、きわめて略した筆跡。それでいて、書法も正しく、じゅうぶん丸みを持たせ、ぼってりとした筆跡! まごうかたなきジャックの筆跡……

「残念なことに」と、ジャリクールは言葉をつづけた。「封筒は捨ててしまったようです。どこからお出しになったものやら?……なんにしても、このホイットマンの引用句については、きょうはじめてその真実の意味がわかりました」

「英語はどうも不得意で、読んだだけではわかりませんが」と、アントワーヌが白状した。

ジャリクールは、紙片を手にし、それを片眼鏡に近づけながら訳しはじめた。

「A foot and light-hearted I take to the open road……徒歩で、心も軽く、わたしは打ち開いた道、大道を行く。健康で、自由な世界がわが前にある!

わが前には褐色がかった長い道。それがいず方へも……wherever I choose……わが思いのままに、いず方へもみちびく!

いまわたしは、なんの幸運をも望まない……なんの幸運にも呼びかけない。このわたし自身が幸運なのだ！

いまわたしは泣いたりはしない、わたしは……postpone no more……時をのばそうとは思わない。わたしには、何もいらない！

心のうちの悲しみも、書庫も、論争も、いまはおさらばだ！

たくましく、満ち足りて……I travel……わたしは旅して行く……I travel the open road……わたしは大道を旅して行く！」

アントワーヌはためいきをついた。

短い沈黙。それをアントワーヌが破った。

「小説とおっしゃいましたのは？」

ジャリクールは、書類の中から、一冊の雑誌を取り出した。

「これです。『カリオプ』の九月号に出ました。『カリオプ』というのは、ジュネーヴで出ている、きわめて活発な、若い人たちの雑誌でして」

アントワーヌは、それをつかむと、熱に浮かされたような手つきで打ち返してみた。彼はたちまち、またもや弟の筆跡に出あった。『ラ・ソレリーナ』（イタリア語。《妹》の意。）という題の下に、ジャックは次のような言葉を書きそえていた。

かの十一月の夕、きみは言わなかったか、《あらゆるもの、すべての両極の力につながる。真理はつねに両面を持つ》と？
恋愛もまた、往々にしてしかり。

ジャック・ボーチー

アントワーヌは納得できなかった。だが、それはあとでのことにしよう。ジュネーヴで出ている雑誌。では、ジャックはスイスにいるのだろうか？『カリオプ』……ジュネーヴ、ローヌ町、一六一番地。

だが、雑誌社まで行ってみて、そこで番地がわからなかったら目もあてられまい！

彼は、じっとしていられなかった。そして立ちあがった。

「この雑誌はちょうど暑中休暇の終わるころに受け取りました」と、ジャリクールが説明した。「ご返事を書こう書こうと思いながら、ようやくきのうになってそれをはたしました。しかもあやうく『カリオプ』社あてに出しかけました。そしてぐうぜん思いかえしました。《スイスの雑誌に書いているからといって、必ずしも筆者がパリにいないはずはあるまいし……》」（彼は、そうすることが、切手代と大いに関係のあったことをあえて打ちあけようとしなかった。）

アントワーヌは、耳をかしていなかった。あらゆる忍耐を絶するほどな好奇心に燃えたっていた彼は、頬をほてらし、あちらこちらと悩ましいなぞのような言葉を拾いながら、弟の手になる作品、生きかえったジャックともいうべきその作品を機械的に拾い読みしていた。そして、この作品を読むことによって何かヒントがつかめるかもしれないと思った彼は、早くひとりになりたく、かなりぶっきらぼうに別れを告げた。

ジャリクールは、戸口まで送りながら、何かと愛想をふりまくことを忘れなかった。その言葉なり態度なり、まるで儀礼書に書かれているとおりだった。

玄関にくると彼は立ちどまった。そして、アントワーヌが腕にかかえている『ラ・ソレリーナ』を人さし指でしめしながら、

「きっとおわかりになりましょう……」と言った。「わたしにも、十二分な才能をお持ちのことがわかっております。だが、じつを申しますと……いや！……わたしなぞ、もうあまりに年をとりすぎておりますからな」そして、アントワーヌが、礼儀のうえからちょっとあいさつの身ぶりをすると、「いや、たしかに、わたしには、もうひじょうに新しいものなぞわからなくなってしまいました……それもあきらめなければなりますまい。だんだん硬化していくのですな……音楽のほうでは、まだしも進歩しつづけておりました。熱心なワーグナーびいきであったそのあとで、ドビュッシーの音楽もわかりました。もっともそれもしばらくのこと、やがてドビュッシーにも逃げられました……いまではたしかに、文学のほうでも、ドビュッシーに逃げられてしまうことでしょう……」

ジャリクールは、ぐっとからだをのばした。アントワーヌは、賛嘆をまじえた好奇心で彼をながめていた。事実この老紳士は、じつに堂々としてみせるだけの値打ちをもっていた。彼は、天井からの灯をうけて立っていた。ひたいも、髪の毛も、ともに輝いていた。まぶたは、ふたつの眼窩の上にのぞみ、そのうち、ひとつの眼窩には片眼鏡がはめられ、時おり入り日を浴びた窓のように、金色の光に輝いていた。

アントワーヌは、改めてジャリクールの丁重さを辞退したいと考えた。だが、先方では、礼儀正しくすることが、専売とでも思いこんでいるらしかった。すなわち、相手の言葉をさえぎりながら腕をのばし、豪放らしく大きくひらいた手を出しながら、

「ご尊父さまによろしくな。それに、おたよりがあったらお知らせください……」

五

風は落ちて、霧のような雨が降っていた。そして街灯の光は、霧の中にただぽうっとかさをつくっているにすぎなかった。どうするにしても、いまは時刻がおそすぎる。

アントワーヌは、一刻も早く家へ帰ろうということだけしか考えなかった。

駐車場には、一台のタクシーもいなかった。彼は『ラ・ソレリーナ』をしっかりかかえ、歩いてスフロ町を下って行かなければならなかった。だが、じりじりした気持ちは、ひと足ごとに高まっていった。そして、それはやがて、がまんしきれないほどのものになっていった。大通りのかどのところ、あかあかと明かりをともした《大ビヤホール》が、静かではないにしても、せめて一刻も早く足を休めるに適当な場所のように思われた。アントワーヌは、そこでがまんすることにした。

入口のところで、彼はひげのないふたりの青年とすれちがった。ふたりは、たがいに腕と腕を組み合わせ、なにやら話しながら笑っていた。おそらく色恋のことででもあろうか？　アントワーヌには、こんな言葉が耳にはいった。

《ちがうさ、もし人間精神にして、このふたつの言葉のあいだに関係を認めることができるのだったら……》アントワーヌは自分が、カルティエ・ラタン（ラテン区。パリにある学生町）のまっただ中にいることをしみじみ感じた。

階下のテーブルは、すべてふさがっていた。そして、階段までは、なまぬるいタバコの煙の中をくぐって行かなければならなかった。中二階は、勝負事のためにあてられていた。玉突台をとりかこんでは、呼びかけの言葉、笑い声、口争いの渦が巻いていた。「十三！　十四！　十五！」――「しまった！」――「またすべりやがった！」――「ユジェーヌ！　ボック（ビール一杯）をひとつ！」――「ユジェーヌ、ビル（酒の名）をひとつ！」えらい騒ぎ。その中に、冷たい玉の響きが、モールス信号のスタッカートのように句読をつけて聞こえていた。

そこにいる人々の顔は、どこからどこまで若々しかった。はえかかったひげにかくれたばら色の頬、眼鏡のかげのさわやかな目、無器用さ、活発さ、微笑のしめす叙情味、それらすべては、花咲く喜び、あらゆるものに希望をもつことの喜び、生きることの喜びを語っていた。

アントワーヌは、あちらこちら人々のあいだを縫いながら、離れたところに、あいている席を求めた。こうした若い人たちの群れている姿は、彼の心を、一時屈託からまぎらしてくれた。そして、彼ははじめて、わが三十歳の重さをひしひしと感じた。

《一九一三年……》と、彼は思った。《若々しい世代……いまを去る十年まえ、この自分の青年時代より、ずっと健康であり、おそらくはもっと活発なこの世代……》

あまり旅をしたことのない彼は、いままでついぞ祖国というものを考えたことがなかった。だがこの晩、彼はフランスにたいし、フランスの将来にたいし、ひとつの新しい感情、信頼と得意の感情を味わっていた。だが、そこにはすぐ、一脈の悲しみがまじりこんできていた。ジャックはたしかに、そうしたホープのひとりになれただろうに……いったいどこにいるのだろう？　いまごろ何をしているのだろう？

部屋の奥には、何脚かのテーブルがあいていて、それがクロークがわりになっていた。彼は、壁にとりつけられた電灯の下の、そうした外套の防壁のうしろがいいだろうと思った。まわりには、おとなしそうな男女のふたりづれをのぞいて、ほかに誰もいなかった。男は、まだほんの若僧で、口にパイプをくわえ、『ユマニテ』紙（共産主義をかざした新聞。一九一四年までジャン・ジョーレスが編集した）を読みながら、つれの女にたいし、まったく無関心といったようすだった。女は女で、熱い牛乳をちびりちびりのみながら、つめをみがいたり、銭をかぞえたり、懐中鏡で歯をしらべたり、横目づかいで新しくはいって来る人たちをながめていた。そして、何か注文するに先だち、すぐに何か読みはじめたアントワーヌの姿に、しばらく注意をひかれていた。

アントワーヌは読みはじめた。だが、どうしても注意を集中することができなかった。機械的に脈を取ってみた。とても速い。彼として、これほど興奮したりするのは、じつにめずらしいことだった。それに、書き出しが、何か人をはぐらかさずにはいなかった。

猛暑。かわいた土のにおい、ほこり。道がよじれのぼっている。馬蹄の下、岩石から火花が散る。シビルは前を行く。サン・パオロ寺院で十時が鳴る。ほぐれたなぎさが、なまなましい青の上にくっきりと浮かぶ。紺碧と金と。右手、見はるかすかなたにナポリ湾。左、わずかに凝った金一色が、溶けて流れる金色の上に浮かんでいる。カプリ島。

ジャックはイタリアにいるのかしら?

アントワーヌは、心せくままに何ページかを飛ばした。奇怪な文体……

彼の父。父にたいするジウゼッペの感情。なんとしても近づきがたい父の心の一角。いばらの藪。やきつくような感覚。幾年にわたって、自分でも気のつかない、はげしい、ひねくれた、偶像的な尊敬。すなおな感激がすべてはねかえされる事実。ついに悩まずにいられなくなるまでの二十年。憎むべきことを了解するにいたるまでの二十年。全心をあげての憎しみ。

アントワーヌは、苦しくなって読むのをやめた。ジウゼッペとは？　また書き出しにもどってみた。

彼はつとめて落ちつこうとした。

最初の場面は、ふたりの若い男女が、馬に乗って散歩しているところ。ひとりは、ジャックを思わせるジウゼッペ。いっしょにいるのがシビルという少女で、彼女はイギリス人であるらしく、こうした言葉を口にしている。

イギリスでは、しかたがないときまったら、一時的な状態だけで満足しますの。その結果、わたくしたちは、自由に何かきめたり、動いたりすることができるんですの。あなたがた、イタリアのかたたちは、何よりもはっきりきまったことがお好きなのね。彼女は考える。おや、少なくもこの点、あたし、もうイタリア人になっているらしい。この人にはないしょにしておくこと。

丘の上まで行くと、ふたりは馬からおりて小憩する。

彼女は、ジウゼッペより先に馬からおり、焦茶色の草をむちではたいてとかげを走らせ、そこに腰をおろす。やけつくような地面の上にしゃんとからだを立てながら。

——シビル、きみはひなたにいるのかい？

ジウゼッペは、土塀にそい、狭い陰の中に身を横たえる。彼は、熱いあら塗りの壁に頭をもたせて、じっと彼女をながめている。彼はこんなことを考える、本来優雅な身のこなしを持っている彼女でいながら、自分で自分にあらがっている、と。

アントワーヌは、熱に浮かされたように、読むより早くわかりたい気持ちで、節から節へ飛んで行った。飛んで行きながら、ひとつの文章が目にはいった。

彼女は、イギリス人である。そしてプロテスタントだ。

彼は、その全節を読んでみた。

彼にとって、彼女のすべてが例外的だ。愛すべく、同時に不愉快なもの。その魅力は、彼女が、彼にとってほとんど未知の世界に生まれ、育ち、そして現在そこで生活している点にある。シビルの悲しみ、その清純さ。こうした友情。彼女の微笑。そうだ、彼女は目で微笑する。ぜったい唇では笑わない。彼女にたいする彼の感情。厳格な、熾烈な、気むずかしい感情。彼女は彼を傷つける。彼女は、彼が自分よりも卑しい種族であれかしとのぞみ、それでいて、そうあることを苦しく思っているらしい。彼女は言う。あなたがた、イタリア人。あなたがた、南の人。彼女はイギリス人である、そしてプロテスタントだ。

ジャックが出会った女、そして愛したことのある女？……ことによるといまもいっしょに生活しているのではないかしら？

ぶどう畑、レモン畑のあいだをおりて行く。なぎさ。牛の群れが童子に追われて行く。沈んだ眼差し。ぼろの下から裸の肩をみせている子供。彼は、あとにしたがう二匹の白犬を呼ぼうとして口笛を吹く。先頭に立った雌牛の鈴が鳴る、広大無辺。日の光。歩くにつれて、砂に水たまりができる。

こうした描写は、アントワーヌをいらいらさせた。そして、二ページ飛ばす。これは、その家でのシビルの姿だ。

ルナドーロ荘。くずれかかった建物。それらを、ばらが十重二十重にとり囲んでいる。二重になった花壇。それを、目のさめるような花が埋めている……

文学だ……アントワーヌはページをめくった。そして、次の一節がしばらく彼の目をとめた。

ばら畑。真紅の乱れ。かたまりをなした花々が低い迫持屋根を作っている。そのにおいは、やっと堪え得るほどの日の光にあたためられて、肌にしみ入り、血管にひそみ、眼差しをくもらし、心臓の鼓動を、あるいは速め、あるいはゆるめる。

何を思いだしてのばら畑？　それからさらに、白鳩のはばたく鳥小屋へとつづいている。メーゾン・ラフィット？　プロテスタント？　さては？　では、シビルというのも……？　ここに彼女の姿が描かれている。

アマゾーヌを着たシビルは、ベンチの上に身を投げた。両腕をひろげ、唇を結び、きりりとした眼差しをして。自分ひとりになると、すべてがはっきりわかってくる。自分は、ジウゼッペを幸福にするためにだけ、生命をあたえてもらっているのだ。あの人がいないとき、あたしはあの人が恋しくなる。たまらない気持ちであの人の来るのを待っていながら、あたしはあの人を苦しめるにちがいない。なんと愚かしい残虐性。恥ずかしい。泣ける女はしあわせだ。このあたし、閉ざされた心、硬化した心。

硬化した？　アントワーヌは微笑した。医者の言葉、たしかに自分から出た言葉。

あの人にはあたしがわかっているのだろうか？　どんなにわかってほしいことか。だが、あの人にわかってもらえたと思うやいなや、あたしはすっかりだめになる、なんとしてもだめになる、あたしはくるりと向き返る。嘘をつく、どんなことでもあれ、口から出まかせに。そして逃げ出さずにはいられないのだ。

今度はその母親だ。

ミセス・パウエルは、家の前の石段をおりる。白い髪に日が戯れる。夫人は、目の上に小手をかざして、口を開くまえから、シビルのすがたを見るまえからほほえんでいる。ウィリアムから手紙がきた、と言う。とてもとても良い手紙。研究をふたつはじめた由。あと幾週間かペストムにいるとのこと。

シビルは、唇をかんでいる。絶望。してみると、自分は、われとわが心を読みわけるため、われとわが心がわかるため、兄の帰りを待っているというのだろうか?

もはや一点の疑いもゆるされない。フォンタナン夫人、ジェンニー、ダニエル。いろいろな思い出の集大成だ。アントワーヌは先をつづける。

彼は次の章をめくる。もう一度、父のセレーニョについて書かれているところを見たいと思う。これだ……いや、これはセレーニョの館のこと、湾の岩に建てられた古い館のことだった。

……弓形をした長い窓。それを、壁画のからくさが縁どっていた……

描写。湾と、ヴェスヴィオ山と。

アントワーヌは、何かつかもうと、あちらこちら言葉をひろいながら、ページを飛ばす。ジウゼッペという青年は、この夏の別荘に、ただ召使いたちだけと暮らしている。妹のアネッタは外国に行っている。母はもちろんすでにない。父親たる評定官セレーニョは、高位の司法官たる職柄ナポリを離れることができず、わずかに日曜日とか、ときどきはふだんの日の夕方など姿をあらわすにとどまっていた。《メーゾン・ラフィットでのおやじのやりかたにそっくりだ》と、アントワーヌは思った。

晩餐のため、船に乗ってやって来る。食後。葉巻。そして柱廊の中を行ったり来たりの散歩。朝は、早く起きて、厩番、庭師などをしかりつける。そして、無口な彼は、朝一番の船で、ふたたび帰って行く。

おお、父の姿……アントワーヌは、からだを震わせながら読みつづけた。

評定官セレーニョ。社会的成功。彼にあって、すべてはたがいに入れこになり、たがいに補い合っている。家庭的状況、資産的状況、職業的知識、組織的精神。すべての人々が認めているそうした表向きの力、四角ばった廉直さ。きわめて峻烈な身の持しかた。それからその風貌。たのもしさ。がっしりしたからだつき。いつも相手をおびえさせ、しかもいつまでも忍耐し、じっとおさえているそのはげしさ。みんなに尊敬され、みんなを慴伏(しょうふく)させる一種荘重な戯画的人物。熱心な信者であるとともに、まさに一個の模範国民。ヴァチカンにおけると法院におけると、裁判所、事務所、家庭、食卓、そのいずれにあっても、明朗で、力づよく、一点非難すべきところがなく、安住し、動じないでいるひとつの力。いや、さらに適切に言えばひとつの重さ。働きかける力ではなく、一種の動かざる力、ぐっとのしかかる力。完成された一個の全。ひとつの総和。一個のモニュメント。

ああ、その、冷ややかな、内面的な小さい笑い……

アントワーヌの目の前では、すべてが一瞬ぼうっとなった。よくもこれまで書いたと思う。

元気なお馬
かわいいお馬！

衰弱した老人の歌を思い浮かべたとき、こうした復讐的な文章が、なんと執念ぶかいものに思われたことか。

彼と弟とのあいだには、とつぜんはっきり距離ができた。

ああ、暴虐な沈黙をかくしている、冷ややかな、内面的な小さな笑い。引きつづく二十年の間、ジウゼッペはこうした沈黙、こうした笑いを忍んできた。心の中では反抗しながら。

そうだ、憎悪と反抗と。ジウゼッペの過去はこれに尽きる。彼にして若かりし日を思うとき、復讐の気持ちが燃えあがる。きわめて幼いじぶんから、彼のあらゆる本能は、それが形を取るにしたがい、すべては父にたいする戦いだった。すべてが。なげやりも、不逞も、懶惰(らんだ)も、それらは、反動の気持ちから、公然やってのけたものだった。なまけものになってやること、同時にそうなることの恥ずかしさ。だが、なまけものになってこそ、もっともよくあの憎むべき掟に反抗することができるのだ。悪をしたいというはげしい欲望。反抗には、報復の味がこもっている。人々は、情愛のない子だという。しかも彼は、傷ついた動物のさけび、こじきのひくヴァイオリン、教会のポーチの下ですれちがったシニョーラ（イタリア語。少女）の微笑にさえ、夜、床にはいってすすり泣かずにはいられないのだ。孤独、砂漠、見すてられた少年時代。一人まえの年になっても、ジウゼッペは、妹以外の誰からも、やさしい言葉をかけてもらえなかった。

《だがおれはどうだ？》と、アントワーヌは考えた。

妹のことが出てくると、そこにやさしいちょうしがあらわれた。

アネッタ、アネッタ、ソレリーナ。こうした枯渇の下に花咲き得たとは何たる奇跡。妹。幼い折りの絶望や反抗の友であった妹。寂寞たる影のなかでのただひとつの明るみ、さわやかな泉、ただひとつの泉。

《だがおれはどうだ？》いや、出ているぞ。少し先のところに、兄のウンベルトのことが語られている。

おりおり、ジウゼッペは、兄の目のなかに、自分に同情してくれようという努力のかげをみとめた……

努力だと？　なんという忘恩の言葉だ！

……寛容によってそこなわれた同情だった。だが、ふたりのあいだには、十年という年月、すなわちひとつの淵が横たわっている。ウンベルトは、ジウゼッペにたいして自分自身をしめさない。そして、ジウゼッペのほうでも、ウンベルトにたいしていつわっている。

でアントワーヌは読むのをやめた。書き出しのあたり感じられた不愉快な気持ちも、いまはすっかり消えてしまっていた。こうした文章の素材が、きわめて個人的なものであったにしても、そんなことは問題ではなかった。彼は、われとわが心にたずねてみた。ジャックの判断にどれほどの価値があるだろうか、と。全体から見て、すべては、そしてウンベルトに関する部分でさえ、なかなか正確だった。だが、なんという恨みの気持ちの見られることだ！　三年も家を離れ、孤独で暮らし、三年間家族の消息を聞かずにいたあとで、こうしたちょうしで物が言えるのだったら、ジャックは、たしかに自分の過去を憎んでいるはずだ！　アントワーヌは不安になる。たとい弟の所在がわかったにしても、その心のすじみちまで見つけることができるだろうか？

彼は、作品の残りの部分をめくってみた。もしやウンベルトのことが出てはいないかと思って……

だが、そこには、わずかにその名が記されているだけだった。人知れぬかすかな失望……
だが、彼の目は、ある一点にそそがれた。語調に心を引かれたのだ。

　友もなく、からだをまるめ、みずからの乱雑さのうえに身をかがめ、さまざまな動きのままに身をまかせ……

　ローマでの、ひとりぼっちのジウゼッペの生活。どこか外国の町でのジャックの生活とでもいうのだろうか？

　幾夜さ。部屋の中では、空気は重すぎるほど重い。書物が落ちる。彼はランプを吹き消し、若いおおかみのように外へ出る。メサリーヌ（ローマにおける放恣淫蕩をもって有名な妃。夜な夜な町にあらわれて売春したという）の御代を思わせるローマ。陥穽（かんせい）や誘惑のまきちらされたけがらわしい町。はずかしげもなく、深くおろしたとばりのかげのあやしげな灯（ひ）。あつまり合った影。みずからをすすめる影。求める影。淫恣（いんし）。彼は、伏兵の待つ壁にそって走る。ことによると自分自身から逃げているのではないだろうか？　いかにしてこの飢渇をしずめたらいいだろう？　彼は、いく時間となく、まだその味を知らない狂乱にとりつかれながら、目を燃えあがらせ、手には熱を握りしめ、咽喉（のど）をかわかせ、まるで身も魂も売りわたした人とでもいうように、われとわが身を忘れ、不感無覚な気持ちでさまよい歩く。不安の汗、淫蕩の汗。彼は、円をつくっておなじところを低回し、小路小路をさまよい歩く。幾度となく、おなじ落とし穴に触れようとしては通りすぎる。幾ときも、幾ときも。

時は過ぎた。あやしいとばりのかげの灯影(ほかげ)も消えた。町には人影がうせ、彼はいま、わが身の中の悪魔とふたりきりだ。どんな堕落でもしたいと思う。だが、時は過ぎた。欲望をはげしく空想した結果、いまは力もうせ、心も涸れてしまっている。

夜がはてる。ようやくやってきてくれたこの沈黙のきよらかさ。しののめのとうといしずけさ。時は過ぎた。

やるせなく、疲れはて、不満のままの、みじめな彼。ようやく部屋までたどりつき、ふとんの中にもぐりこむ。うらみなく、われとわが身に欺かれ、青ざめた日が明けるときまで、為さざりし苦汁をかみしめながら。

なぜこれらの文章が、アントワーヌにとってつらかったのか？　彼は、弟がすでにいろいろな経験を持ち、数多くの女と交渉を持ったであろうと想像していた。《それもしかたがない！》と言い得る彼。さらに進んで《それでよかったのだ！》とも言い得る彼。だが、それでいながら……

彼は、急いで何枚かをめくった。とても順序を追っては読めなかった。そして、どうやら筋だけはたどっていけた。

湾の岸にあるパウエルの別荘は、セレーニョの館とたいして隔たっていなかった。休暇のあいだ、ジウゼッペとシビルは、近所同士の仲だった。馬上の散歩、また夕方の舟遊び……

ジウゼッペは、ルナドーロの別荘に毎日のようにやって来た。シビルは、誰とでもあっていた。シビルのなぞ。ジウゼッペは、心怏々（おうおう）としてたのしまず、彼女のまわりをまわっていた。

こうしたジウゼッペの恋情が、物語のすべてをうずめつくしていた。アントワーヌは、それに辟易した。

だが彼は、部分的に、かなり長いひとつの場面を読んでみずにはいられなかった。それは、ふたりの若人のあいだの、仲たがいらしいもののあとに出てくる場面だった。

夕方の六時。ジウゼッペは別荘に来た。シビル。庭は、においに酔いしれて、日を浴びたその日を発酵させている。伝説の中の王子のように、ジウゼッペは、火と燃える土塀のあいだ、夕日に染まる花いっぱいのざくろの小道をあるいて行く。シビル、シビル。誰もいない。とざされた窓。おろされたすだれ。彼は立ちどまる。身のまわりには、くるおしく、無数のつばめが烈帛（れっぱく）の音を立てて空をつんざく。誰もいない。ことによったらパーゴラのかげ、家のうしろのあたりにでも？　彼は、駆けよりたいと思う心をおさえた。

別荘の一角、さっと顔に吹きよせるもの。すなわちピアノの音。シビル。サロンの戸口があいている。いったい何をひいているのか？　胸かきむしる吐息のひびきか、訴えるような問いかけの気持ちか、夕暮れの、なごやかな空気の中に立ちのぼっている。人語そのままの抑揚。語られながら、しかもそれと捉えがたく、永遠に、明らかに人の言葉にうつし得られぬその言葉。彼はきき入る。彼は近づいて、足をしきいの上にのせる。シビルには、何も聞こえぬ。はじらいもなく顔をあらわし、まばたくまぶた、引きしめた口、すべてが思いを語っている。こうした仮面の下に、彼女の心がひそんでいる。心と恋と、それがつまりはこの仮面だ。透かして見られたその孤独、ふと盗まれたその秘密、凌辱か、ないしひそかな抱擁か。彼女はピアノをひきつづける。このすばらしい瞬間を、ひびきの渦が巻きあがる。すすりなきはやみ、苦しみは軽く、ふわりと空に浮き、しばらくそこにかかると見えたが、やがて空かける鳥の羽ばたきさながら、げにふしぎにもしじまの中に溶けてゆく。

シビルは、両方の腕を上げた。ピアノが鳴る。手のひらをそこにのせさえしたら、潑剌とした心の擾乱も聞かれよう。彼女は、自分ひとりと思っている。そして、くるりと首をめぐらす。

そのゆったりとした身のこなし。彼の知らなかったしとやかさ。たちまち……

文学だ、文学だ！　こうした計画的な、短い、荒っぽい筆触。それを思うと腹が立つ。ジャックははたして、ジェンニーが好きでいたのだろうか？

アントワーヌの空想は、物語よりも先に走る。彼はふたたび本文にかえった。

ここにふたたび、ウンベルトの名が目にはいる。セレーニョ邸での短い場面。父親が、兄といっしょに、ふいに晩餐にやってきたときの夕暮れのこと。

ひろやかな食堂。ヴェスヴィオが噴煙を見せているばら色の空へ向かって、弓形をした窓が三つ。スタッコの壁。見る目にだけの穹窿をささえた緑の柱。

食前の祈り。評定官の、ぼってりとした唇が動く。部屋いっぱいになりそうな十字が切られる。ウンベルトも、ばつを合わせて十字を切る。ジウゼッペは、片いじになって十字を切らない。一同が席につく。大きな。白いテーブル・クロースのおごそかさ。離れすぎるほどの間を置いて三組の食器。フェルトの上靴をはいたフィリポ。そして、その手にささげられた銀の皿。

その先。

父の前では、パウエルの名まえさえも口に出せない。父は、ウィリアムとあうことをはっきり拒んだ。他国者。一画工。イタリアは、のらくら者どもがしめたとばかりにあつまる四辻だ。去年、はっきりしまつをつけて置こうと、《彼ら異教徒にあってはならぬ》と、堅く言いわたしておいたのに。

その彼は、そむかれているのに気がついているのだろうか？

アントワーヌは、いら立って、ページを何枚もめくってのける。ここにまた、兄の姿が描かれている。

ウンベルトは、何かしら、毒にもならない話をする。沈黙が、ふたたびとざす。ウンベルト、りっぱなひたい。瞑想的な、また毅然とした眼差し、よそへ出したら、若く、溌剌とした彼だろうに。いま、学を終え、前途には、秀才としての未来が待っている。ジウゼッペは、兄が好きだ。だが、兄としてではなく、友だちになってくれそうなおじとしてだ。ふたりいっしょに長くいるとき、話をするのはおそらくジウゼッペのほうだろう。ふたりさしむかいになることもめったにないし、そういうときは、ちゃんとまえから仕組まれているのだ。ウンベルトの前に出ては、どうも親しみを持つことができない。

《むりもない》アントワーヌは、一九一〇年の夏を思いだしながらこう考えた。《ラシェルのせいだ。おれが悪かったんだ》

彼は読むのをやめた。そして、考えこみながら、頭をぐったり椅子のもたれによせかけた。彼は絶望していた。こうした文学的な饒舌からは、何ひとつ知ることができなかった。そして、冒頭のときと少しも変わらず、秘密はそっくりそのままだった。

オーケストラが、ウィーンふうのオペレッタのリフレーンを奏でている。それをみんなの唇が低い声でくり返し、ここかしこ、姿は見えずに口笛の伴奏が聞かれている。おとなしいふたりの男女は、少しもからだを動かさなかった。女は牛乳を飲んでしまっていた。そして、タバコをふかしながらたいくつしていた。時おり、いまは『人権』新聞をひろげている男の肩に手をのせながら、うわのそらで耳たぶをいじり、ねこのようにあくびをした。

《これはと思う女は少ないな》と、アントワーヌは思った。《それでいて、どれもこれもがそうとうさわやかだ……だがけっきょく二番物といったところ……単にうわきのお相手どころだ》

ふたつのテーブルに陣取った学生たちのあいだには、何やら論争がもちあがっていた。ペギー（フランスの神秘思想家。カトリック的愛国者。第一次大戦で戦死した）やジョーレス（フランスの偉大な社会主義者。一九一四年七月三十一日夜第一次大戦勃発の前夜凶漢の狙撃によって斃れた）の名が、爆竹のように炸裂していた。

青いあごをしたひとりの若いユダヤ人が、『人権』紙を読んでいる男と雌ねことのあいだに来て腰をおろした。雌ねこは、これでたいくつしなくなった。

アントワーヌは、読みつづけようと努力した。どこまで読んだかも忘れていた。雑誌をめくりかえしながら、彼は『ラ・ソレリーナ』の終わりの幾行かに行きあたった。

……ここでは、生活も変愛も堪えがたい。おさらばだ。

……未知の誘惑。新鮮な明日の誘惑。陶酔。忘れること。そして、すべてをふたたびやり直すこと。

……ローマへ向かってすぐ出る列車。ローマでは、ジェノアへ向かってすぐ出る列車。ジェノアからは、すぐ出る船で。

………………

アントワーヌの興味を、一瞬かき立たせるためには、もうこれだけでじゅうぶんだった。落ちつけ、落ちつけ！　ジャックの秘密は、これらの文章のあいだに隠されているのだ！　落ちついて、一枚一枚、読んでゆけ。極の極まできわめてやるのだ。

彼は、まえにもどって読みかえす。両手でひたいをかかえながら、一心不乱に読みふける。ここは、アネッタ、つまり《ラ・ソレリーナ》が、彼女の学ぶスイスの修道院の寄宿舎から、家へもどって来たところだ。

アネッタは、少し変わっている。かつては女中どもの自慢の種だったアネッタ。E una vara napolitana（イタリア語。《正真正銘のナポリむすめ》）、かわいらしいナポリむすめ。ぽっちゃりした肩。浅黒い肌。ぽってりとした唇。その目までが、なんでもないこと、あらゆることに笑いこける。

なんでまたこの話にジゼールをひっぱり出したりしたのだろう？　それにまた、なんで彼女をジウゼッペのほんとうの妹なんかにしたのだろう？……それにアントワーヌは、兄と妹との最初の場面から、すでにおもしろからぬ気持ちを感じていた。

ジウゼッペは、アネッタを迎えに行った。ふたりは、馬車に乗ってセレーニョの館にもどってくる。

日は、山々の頂のうしろに隠れた。ゆらめく日がさのかげ、古馬車は静かにゆれる。影。急にひやりと襲った冷え。

アネッタ。そのおしゃべり。彼女は、腕をジウゼッペの腕の下に入れた。そして彼女は大いに語る。笑いながら聞き入る彼。きょうの夕方までの、なんという孤独！　シビルはいても、寂しさをまぎらしてはくれなかった。シビル、シビル。永久に澄みわたった暗い水だ。シビル、目がくらむほどの清らかさだ。

馬車のまわりのながめが縮む。夕暮れが、夜へとすべる。

アネッタは、昔さながら身をすくめる。すばやいキス。燃える唇。しなやかな、ほこりのざらつくその唇。昔さながら。修道院でも、笑い、おしゃべり、それにキス。昔さながらの兄と妹。ジウゼッペは、シビルが好きだ。それでいながら、いまソレリーナの愛撫をうけて、燃え立つような甘美な気持ち。彼はキスをかえしてやる。どことさだめず、まぶたのうえ、黒髪のなか。ひびきの高い兄のキス。御者が笑う。彼女は語る、修道院のこと、そら、試験のこと。ジウゼッペもまた、とりとめもなく、父のこと、近づいてくる秋のこと、ゆく末のことなど。彼は、われとわが心をおさえながら、パウエル家のことを口にしまいと思っている。アネッタは信心ぶかい。その部屋には、マドンナの祭壇に、六本の青いろうそくがささげてある。ユダヤびとらは、イエスを十字架にかけた。つまり彼らには、神のみ子がわからなかったからなのだ。だが異教徒たちは知っていた。ただ彼らは、傲慢心から、真理を拒んだというわけなのだ。

父の留守、兄と妹とはセレーニョの館に落ちついた。何ページかにわたって、はしからはしまで、アントワーヌにとっては不愉快だった。

翌日、ジウゼッペがまだ横になっているところへ、アネッタがはいってきた。やはり、アネッタはすこし変わっていた。あいかわらず、ひろやかな、澄みわたった、何かわからないおどろきを見せた眼差し。まえよりも熱をおび、ちょっとしたことにも無限の感動を見せそうな眼差し。彼女は、そのベッドから来たのだった。だるそうに、ぬくみもそのまま。みだれ髪。それでいながらはすっぱに流れず、いかにもういういしい子供の姿。それも昔をそのままだ。すでに彼女は、荷物の中から、スイスみやげを――ほら、いろいろな絵を取り出した。並びのいい歯のうえを、しきりに唇が往来する。スキーをやってころんだこと。雪のなかに岩が出ていて、ほら、ひざにそのあとがのこっている。寝まきの下のふくらはぎ、それに足。あらわのままの彼女のもも。彼女は傷あとにさわってみる。焦茶色した肌のうえ、まるで薄色をしたボタン穴だ。いかにもうっとりと。彼女はたのしく肌をなでる。朝夕は、彼女は鏡を見るのが好き。そして、われとわが肉体に微笑をおくる。彼女はしゃべる。いろいろなことに思いをはせる。馬のおけいこ。あたし、あなたと馬に乗りたいわ。それでなければポニー(二歳駒)がいい。アマゾン仕立ての服を着て、波打ちぎわを駆けさすのよ。そう言いながらもなでつづける。かがやくひざを、まげては伸ばす。ジウゼッペは、まばたきしながら、ベッドの中で身を伸ばす。やがて、するりと寝まきが落ちた。彼女は窓にはせ寄った。入江にさっと朝の映え。おなまけさん、もう九時よ、行って潮を浴びないこと。

こうした親しい日が幾日かつづく。ジウゼッペは、ソレリーナと、そして、不可解なイギリスおめとのあいだで時をすごす。

アントワーヌは、一瀉千里で読みくだす。

ある日、ジウゼッペが、入江のほとりを散歩しようとシビルをさそいにやって来たとき、のるかそるかの場面に出会う。アントワーヌは、鼻持ちならぬ《文飾》をがまんしながら、そのあたりの全部を読んでみた。

シビルは、パーゴラのかげ、日ざしのふちにいる。もの思いにふけっている彼女。片方の手は、光のなか、白い円柱にあずけたまま。彼女は待っていたのだろうか？——きのうもお待ちしましたわ。——アネッタのところにいたんだ。——どうしておつれにならなかった？ ジウゼッペには、その言いかたが気に入らなかった。

アントワーヌは少し飛ばす。

ジウゼッペはこぐ手をやめる。ふたりのまわりに、空気もとまる。翼をもったこの沈黙。入江は水銀。壮麗。舟をうつ生あたたかい水の音。——何を考えてるの？——あなたこそ？……沈黙。——ぼくたちおなじことを考えるんだ、シビル……沈黙。ふたりの声のちょうしがかわる。——きみのことを思っているのさ。沈黙。長いながい沈黙。——あたしもあなたのことを思ってるの……彼は震える。——一生？——おお、彼女はひたいをあおむける。彼は見る、唇が、苦しげに開き、手が舷を握るのを。しんとした、悲しいほどのむつみあい。垂直な炎の下、まっかになって入江が燃える……

なるほど、あの年の夏、ジャックはしげしげフォンタナン家へ出かけて行った。おそらくジェンニーにたいする失恋が、ジャックに家出をさせたのではあるまいか？

さらに引きつづいて何ページか。たちまちしめされた急転直下の勢い。

アントワーヌは、メーゾン・ラフィットでのジャックとジゼールとの生活を思わせる日々の生活の場面を通じて、そこに兄妹間の愛情の心もとない進展のあとをたどった。彼らふたり、こうした親しさの性格について、はたして気がついているのだろうか？　アネッタのほうでは、自分自身の生活が、あげてジウゼッペに向かっていることを知っていた。だが、それもすなおな気持ちからのことだった。彼女はきわめて純真で、自分自身の情熱をも、きわめて自然な、ゆるさるべき感情であると思っていた。ジウゼッペのほうでは、最初のうち彼の言明したシビルによせる恋ごころに心をしめられ、目をくらまされて、妹のしめす肉体的の魅力のことなど、少しも気がつかずにいたのだった。とは言いながら、自分の愛の性質について、いつまで欺かれていられるだろうか？

あの日の午後、ジウゼッペはソレリーナに向かってこう言った。

どうだ、涼しくなってから、ふたりで散歩に出かけては？

どこかホテルで晩食をくって、夜になるまでうんと歩いてみようじゃないか？　彼女は手を打って喜んだ。あたし、陽気なときのあなたが好きよ。

ジウゼッペは、しようとすることを、あらかじめ計画してでもいたのだろうか？

漁師たちの住む町でざっと食事をすませたのち、彼は妹を、彼女がまだ知らない道のほうへさそってやった。

彼は足早に歩く。レモンの木、石の多い小道、かつてシビルと幾度となく歩いた道。アネッタのおどろき。道はだいじょうぶ？　彼は左に曲がる。古い壁、まるみをもった低い門。ジウゼッペは、立ちどまって笑う。来てごらん。彼女は、警戒もしないでそばへ寄る。門を押す。鈴が鳴る。あなた、むちゃだわね。彼は笑いながら、杉の木かげに彼女をつれこむ。庭は暗い。彼女はこわくなってくる。彼女には、ジウゼッペのことがわからなくなる。

彼女は、ルナドーロの邸にはいっていたのだ。

まるみをもった低い門、小さな鈴、こんもりとした杉の森、そうしたいろいろ細かな点が、今度はきわめて忠実に描かれている……

パーゴラの下に、パウエル夫人とシビルがいた。妹を紹介させていただきます。椅子がすすめられる。いろいろ質問がかけられる。みんなが彼女をちやほやする。アネッタは、まるで夢でも見ているよう。アネッタ、ふたりの異教徒のなかにはさまれたアネッタ。母親の款待、その白髪、その微笑。あたしといっしょにいらっしゃい、ばらを摘んであげますわ。ばら畑。小暗い穹窿。あたり一面、においのはげしさ、かぐわしさ。

シビルとジウゼッペはふたりきり。手をとってもいいだろうか？　おそらく彼女は、身を引こうとするにちがいない。意思よりも強く、恋よりも強く、厳としたこのつつましさ。彼は思う。せめてなんとか胸の思いを察してくれたら。

パウエル夫人は、アネッタのためにばらを摘んだ。真紅のばら。小さな、密集した、そしてとげのないばら。しんの黒い真紅なばら。これからもいらしってね、my dear, シビルはほんとにひとりぼっちなんですもの。アネッタは、まるで夢でも見ている気持ち。これがあのいままでこわがっていた人たちなのか？　この人たちを、まるでわざわいかのように恐れていたなんて？

アントワーヌは一枚飛ばす。

アネッタとジウゼッペが、帰りの道についたところ。

月は隠れた。夜は、さらに暗い。アネッタは軽やかな、酔ってでもいるような気持ち。パウエル家の人たち。アネッタは、ジウゼッペの胸に、若い肉体の重みをあずける。そして、ジウゼッペは、顔を上げ、思いを放ち、夢みごこちで彼女を導く。打ちあけて話したものか？　たまらなくなって、身をかがめる。ねえ、ぼくがあそこへ遊びに行くのは、ウィリアムのためだけではないんだぜ。

彼女には、顔が見えない。その低い、声のちょうしが聞こえただけ。そうだったか、ウィリアムだけのためではないのか？　脈管を血が走る。あたし、いままで知らずにいた。シビル？　シビルとジウゼッペと？　彼女は息ができなくなる。身をふりほどいて逃げようとする。脇腹は矢に傷ついたまま。力がうせる。歯がきしむ。なお数歩。ぐったりする。身がよろめく。そして、ぐっと顔をあおむけながら、シナの木かげの草に倒れる。

ジウゼッペはひざまずく。彼には、何が何やらわからなかった。いったいどうしたというのだろう？　触手のように、彼女がふたつの腕を投げ出す。ああ、それで彼にはよめたのだ。彼女はからみつく。からだを押しあげ、ぴったり彼に身をよせる。すすりなき。ジウゼッペ！　ジウゼッペ！

愛欲のさけび。彼は、いままで一度もそれを耳にしたことがなかった。一度も。シビルは、なその中に立てこもっていた。シビル、すなわち自分にとって見知らぬ女。それがいま、このアネッタ。ぴったりよりそってのこのとりみだしかた。ぴったり自分に身をよせた、若い、はちきれそうな、淫蕩な、すべてをなげだしているこの肉体。頭の中では、かず知れぬ思いがみだれる。むつみあった幼い日のこと。あれほどまでの信と愛。わが身の愛にふさわしい彼女。わが身の風土にかなった彼女。そうした彼女を慰めてやりたい。彼女の気持ちをささえてやりたい。ぴったり自分に身をよせ、わが身をつつむ動物的なこのぬくみ。と、とつぜん足が。はげしい波がすべてをさらう。意識さえも。鼻の下には、いつものとおりの、それでいながら目のさめるような髪のにおい。唇の下には、汗もしとどの顔、うねる唇。それをそそのかすような夜のやみ、もののにおい、血のたぎり、おさえきれぬ心のたかぶり。じっとりうるみ、うっとりひらいたまま、何を待つともない唇の上、はじめてあたえる愛人のくちづけ。そのくちづけをうべないながらも、すぐにかえしてこようともせず、それでいながら、すべてをそれに打ちまかせ、ぴったり身をよせてはなれぬ彼女！　ふたつ合わせた唇に、はげしけ打ちあうふたりの興奮。悲痛なまでのおごそかさ。頭上には、木々がくるめき、星の光のかげさえうすれる。かきあげられて、みだれた着物。あらがい得ないはげしい牽引。発見。これがはじめての肉の接触。圧倒。接触。たくましい圧倒。われをわすれてのすなおなうべない。すべてをゆだね、すべてをゆだねて。苦しいまでのまぐわいの陶酔。

ああ！　吐く息はひとつとなり、時はいま歩みをとめる。

たちまち射しこむ月の光。その無作法な、粗野な眼差し――けざやかな月かげに、ふたりははっと身を離す。

ふたりはすばやく立ちあがった。錯乱。口はゆがんで。ふたりはともに震えている。恥ずかしさよりはうれしさで。そして、うれしさとともに驚きで。

草のしとねのくぼんだ中、月かげに、しげみのばらの花が散る。それを見ながらのみやびなしぐさ。アネッタは、ばらの枝に手をかけてつよく振る。はらはらと散る花びらに、ひとつになったからだのあとをとどめている、みだれた草のしとねがかくれる。

アントワーヌは、からだをふるわせ、憤然として読むのをやめた。

自失の気持ち！　ジゼールが？　あろうことか？　それでいながら、この辺のところ、事実のかげがきわめて濃い。それはただ、古いへい、鈴、ばら畑だけのことではない。ふたりがだきあってたおれたあたり、あらゆる虚構がかげをひそめる。それはもはや、石の多いイタリアの道の上でもなく、さらにまたレモンの木のかげでもなく、それこそじつにメーゾン・ラフィット、あの茂り合った草の中だ。アントワーヌの目にありあり浮かぶ。あそこの並木、年経たシナの木かげなのだ。そうだった。ジャックはたびたび、ジゼールをフォンタナンのところへつれて行った。そして、おそらくそうした夏の夜、家へ帰って来る途中……なんというおめでたさ！　ふたりといっしょに暮らしながら、ジゼールとあれほど身近で暮らしながら、少しも気がつかずにすごしていたとは！　ジゼールの、清らかな、かっちりとざしたそのからだに、そうした秘密がひそんでいたとは？　ちがう、ちがう……

アントワーヌは、心の底で抵抗し、なおも信じまいとこばみつづける。

だが、こまごまとしたこれらの事実！　ばらの花……紅いばら！　ああ、彼にはいま、ロンドンの花屋からの送り主不明の小包を受けとったときのジゼールの驚き、それにまた、そうした、とるにもたりないようなことをたよりに、彼女が、なんであれほどまでにイギリスのほうを調べさせようと言いはったかもわかってきた！　そうだ、菩提樹下に身を横たえてから一年め、おそらくおなじ月おなじ日、あの真紅のばらのもたらしたたよりをはっきりそれとわかるもの、それはたしかに彼女のほかにはなかったのだ！
してみると、ジャックはロンドンにいたことがあるのだろうか？　そして、イタリアにも？　スイスにも？……いまでもイギリスにいるのかしら？……そこから、ジュネーヴの雑誌に寄稿することもできようし……

ぼんやり照らし出された明るみを中心に、ひろやかな影の面がひとつひとつくずれ落ちて行くとでもいったように、とつぜん、ほかのいろいろな部分にも明るみがさしてきた。ジゼールが家を出たこと、イギリスの修道院の寄宿舎にやってもらおうと固執したこと！　なんのことはない、それはジャックをさがそうとしてのことなのだ！　（そしてアントワーヌは、最初の失敗に気を落として、ロンドンの花屋を調べようとしなかったことを後悔した！）

彼は、少し脈絡をたどって考えてみようとした。だが、あまりにも多くの想像や、それにまたいろいろな思い出までが、頭の中に流れこんできた。あらゆる過去が、今夜という今夜、新しい日の光の下に照らしだされたとでもいうようだった。ジャックの家出の後でのジゼールの悲嘆、それがなんとはっきりわかることとか！　彼は、そうした悲嘆の全面的な意味をわからずにいた。そして、それを慰めてやろうと大いにつとめたものだった。彼は、自分とジゼールとの交渉、彼女に同情してやったことなどを思いだした。元はと言えば、そうした同情それ自体、次第次第に、彼をしてジゼールを思わせはじめたのではなかったろうか？　あの当時、ジャックのことが話せる相手は、自殺説を固執していた父でもなく、朝から晩までお祈り三昧、ヌーヴェーヌ（九日祈禱。九日間つづけて行なう祈禱）三昧だった《おばさん》でもなかった。彼はむしろ、ジゼールを、いかにも身近で、いかにも真剣であるように思っていた！毎日毎日、晩食の後で、彼女はようすを聞きにおりて来た。彼のほうでは、自分の見こみや方法を、彼女に話すことをたのしみにしていた。打ちとけたこうした幾晩かをつづけているうち、彼は、胸とどろかすこの少女、じつはといえば恋の秘密を思いめぐらしている彼女のことを、いとしく思いはじめたのではなかったろうか？　彼として、自分でもそれと気づかず、男を知った若い少女の肉体の、そのはげしい魅力にしてやられたのではなかったろうか？　彼の胸には、愛くるしい少女の身ぶり、悩みつづける少女の媚態が思いだされた……アネッタ……なんとうまうまとだましたことか！　ラシェルを失い、感情的にさびしかった自分は、わけなくいい気になってしまって……くそっ！　彼はぐっと肩をすくめた。自分がジゼールを好きになったというのも、つかいみちのない愛情を持てあましていたからのことにほかならないのだ。そうした彼は、ジゼールのほうでも、自分を思っていてくれるものと思っていた。彼女のほうでは、ああした悲恋、ああした錯乱の中にあって、わが愛人を見つけてくれるであろうたったひとりの人として、彼にたよってきただけなのだ！　アントワーヌは、こうした考えを払いのけようと試みた。《いままでのところ》と、彼は思った。《ジャックのとつぜんの家出については、なんの説明も見あたらない》

彼は、ふたたび読みつづけようとした。いま、散り敷いたばらを草の上にのこしたまま、兄と妹は、セレーニョ館にもどって来た。

家への帰り。ジウゼッペは、アネッタの歩みを助けてやる。ふたりはいま、どこへ向かって行くのだろう？　序曲にすぎないつかのまの抱擁。いま、ふたり、それに向かって歩いて行く長い夜、そしてふたりの部屋。今宵、そこで何が行なわれることだろう？

アントワーヌは、最初の幾行かでつまずいてしまった。またもや頭に血がのぼった。じつをいうと、彼の感じていたものは、非難とはおよそへだたったものだった。断固とした恋愛をまえにして、彼の批判力は、たちまちほこをおさめてしまっていた。だが、そういう彼に、なおさえることのできなかったものは、それは何かしらいら立たしい驚きであり、そして、そこには、何かしら恨みの気持ちがこもっていた。彼は、自分のためらいがちな申し出にたいし、ジゼールがはげしく反発した日のことをおぼえていた。これを読みながら、彼の心に、どうやらふたたび彼女への欲望がよびさまされでもしたようだった。あくまでも肉体的な欲望。解放された欲望。彼は、ふたたび注意をとりもどすため、彼女の若い、しなやかな、褐色をした肉体の夢を、力をこめて押しのけなければならなかった。

……いまふたり、それに向かって歩いて行く長い夜、そしてふたりの部屋。今宵、そこで何が行なわれることだろう？

ふたりは、恋のいぶきの下に身をまかせていた。ふたりはしずかに、さも、つかれたもの、呪術にかかったもののように、歩みつづけていた。間をおいて、月がふたりの姿を照らす。月はいま、セレーニョの館のすべてを照らし、やみの中、スタッコづくりの柱廊が浮かぶ。

ふたりは、最初のテラスを越える。歩くふたりの頬が触れる。アネッタの頬は火と燃える。ほんの子供のこのからだで、なんと大胆な罪への歩み。

とつぜんふたりはさっと離れた。柱廊に、ひとつの影が立っていた。

父だ。

父がふたりを待っていた。彼は、とつぜん帰って来たのだ。子供たちはどこへ行ったな？　彼は、ただひとり、がらんとした部屋で食事をした。食事をすますと、回廊の大理石の上を歩きに出た。だが、子どもらはなかなかもどらなかった。

沈黙の中に、声がひびく。

——どこへ行っていたのだ？

嘘を思いつくだけのひまもない。ちらりと見せた反抗の気はい。ジウゼッペがさけぶ。

——パウエル夫人のところです。

アントワーヌは震えあがった。では、ことによるとおやじは……？

ジウゼッペがさけぶ。

――パウエル夫人のところです。

アネッタは、柱廊のあいだを逃げ、玄関を横ぎり、階段をあがり、自分の部屋までたどりつき、閂（かんぬき）を引いて、やみの中、狭いおとめのベッドに身を投げた。

階下では、これがはじめて子が父にたいしている。しかも、奇怪なことには、いどむというこの快感から、自分でも思っていない、別の、はかない恋のことを口に出した。――ぼく、アネッタをパウエル夫人のところへつれて行ったんです。ここまで言うと、しばらく言葉を切りながら、一語一語刻むように、――ぼく、シビルと結婚の約束をしたのです。

父は、からからと笑いだした。おそろしい笑い。突っ立っている父、ぐっと身をそらし、下に落とした影によってさらに大きく見える父。とても大きく、芝居がかってみえる父。月の円光をめぐらしたタイタン（天と地の子。巨人の意に用いられる）さながらの父。父は笑う。ジウゼッペは手をふりしぼる。笑いがやむ。沈黙。――ふたりとも、おれといっしょにナポリに帰るんだ。――いやです。――あした。――いやです。――ジウゼッペ。――ぼくはもう、お父さんのものではありません。ぼくは、シビル・パウエルと結婚の約束をしたんです。

父は、これまで、たといどんな抵抗に出あっても、それを粉砕せずにはおかなかった。父は、平静をよそおっていた。――黙れ。彼らは、この土地に来て、おれたちのパンを食い、おれたちの土地を買う。そのうえ息子たちまで盗むとは。それはあまりにも度がすぎる――異教徒の娘に、わが家の名まえを名のらせていいか？――そんならむしろぼくの名まえを。――ばかめ。だんぜんならん。ユグノーのやつらの陰謀だ。人ひとりの魂を救うのだ。セレーニョ家の名誉のためだ。やつらは、おれのいることを忘れている。このおれは、しっかり見張っていてやるぞ。——お父さん。——おまえの考えをくじいてやる。糧道を断つぞ。ピエモンの連隊に入営させるぞ。——お父さん。——みごとくじいてみせてやるから。自分の部屋へ帰れ。あした、ここを立つことにする。

ジウゼッペはこぶしを握る。彼は望む……

……彼は望む……父が死んでくれたら、と。

これ以上ない侮蔑のつもりで、彼は思いきって笑ってみせた。そして、吐き出す——あなたはとてもこっけいですよ。

アントワーヌは、息を殺した。

父の前を通ってやる。頭を上げ、唇をかみしめ、冷笑しながら。そして階段をおりて行く。——どこへ行く？

立ちどまる。姿をかくすに先だって、どういう毒矢を放ってやろう？　本能が、もっとも辛辣なやりかたを耳にささやく。——死ににです。

ひらり身をひるがえして、階段をおりる。父は、手を上げた。——うせろ、不孝者。ジウゼッぺはあとをも見ない。父の声が、最後にも一度鳴りひびく。——極道め。

ジウゼッぺは、走りながらテラスを横ぎり、やみの中に姿を消す。


アントワーヌは、もう一度読むのをやめ、考えてみようとした。だが、あとはわずか四ページだ。心せかれて読みつづける。


ジウゼッぺは、どことあてなく、どんどん前へ駆けて行く。そして、息を切らし、驚き、放心して立ちどまる。遠く、どこかのホテルのヴェランダのかげ、いくつかのマンドリンの音がからみあい、甘い、郷愁をおびた歌を織りなしている。たまらなくものうい気持ち。快い浴泉のなかに、血管をひらいてみたい気持ち。

シビルは、ナポリふうのマンドリンを好まなかった。この土地のものではないからだ。シビルは、はるかなもの、現実のもののように思われず、何か物語の中に出てくる、自分の好きになりそうな女主人公とでもいったよう。

アネッタ。てのひらに触れた、あらわな腕の記憶だけしか残っていない。耳が鳴る。口がかわく。

ジウゼッぺは、ひとつの案を持っていた。夜の引きあけに、ふたたび別荘にもどり、アネッタをさそい、そして、いっしょに逃げるということ……やおら近道におどりこむ。血管が高鳴る。

岩ぼこみちの急坂を、ひとおどりしてよじのぼる。月明の下(もと)、人をふるい立たせるようなさわやかな田園。

土手のふち、あおむけになり、両腕を胸の上に組み合わせる。はだけたシャツのあいだから、ゆっくりと、生き生きした胸に触れ、そして、その胸をさすってみる。頭上には、乳色の、星のきらめきわたっている夜の空。平和。清純。

清純。シビル。シビル、おお彼女のたましいは、冷たく深い泉の水、冷たく清い北の夜。

シビル？

ジウゼッペは立ちあがる。彼は大またに丘をおりる。シビル。もう一度。夜明けまでにもう一度。

ルナドーロ。そこに土塀があり、まるい形をした門がある。塗り直された壁の上に、はっきりキスしたあとがわかる。はじめてやった告白のなごり。そこなのだ。おなじようなある宵のこと、月明の宵。シビルは送りに来てくれた。あら塗りの白壁の上、影が、くっきり浮かんでいた。彼は思いきってやったのだった。とつぜん、さっと身をこごめると、壁の上、彼女の横顔にキスした。彼女は逃げた。おなじような宵のこと。

アネッタ。ぼくはなんで小門のところまでもどって来たのか？　青白いシビルの顔。意思の顔。かくも近く、かくも身近に、かくもはっきり見えていて、しかも自分のぜんぜん知らないシビル。シビルを思いあきらめるか？　いな、愛をもってほぐしてやるのだ。その縛(いまし)めをといてやるのだ。

閉ざしている心をひらいてやるのだ。どういう秘密を、こうまで閉ざしているのだろう？ 本能からとき放たれた清純な夢。これこそは真の恋。愛するのだ、シビルを。そうだ、彼女を愛するのだ。

アネッタ、あの聞きわけのいい眼差しは？ しとやかすぎるあの口は？ その身をささげたはげしい情熱。欲情。ちらりと見せただけのあの欲情。なんの秘密もなく、厚みもなく、ひろびろと見せてくれたあの欲情。あすを忘れたその欲情。

アネッタ、アネッタ、ああした軽率な愛撫のことを忘れ、昔のふたり、子供のふたりにかえるのだ、アネッタ、かわいいむすめよ。かわいい妹。そうだ、妹、妹、妹なのだ。

ああ、不倫な欲情。たまらない欲情。誰に救ってもらえるのか？

アネッタ、シビル。ふたりのあいだの板ばさみだ。それではどちらを？ なぜまた選ばなければならないのか？ 自分は、悪しかれとは思わなかった。双方からのこの牽引。この本質的な、神聖な、均衡の力。どちらにと迷う心の跳躍。その両者、いずれも心の底からわき出ているのだ。ともに正しいとなぜ言えない？ それが現実の世界にもどると、どうして双方相容れないのか？ すべてを容れる白日の下(もと)、すべては清いと思うのだが。心の中では、すべて調和がとれているのに、どうしてそれがいけないのだ？

ただひとつの解決は？ 三人のうち、誰かひとりが余計なのだ。では、誰が？

シビルかしら？ 傷つけられたシビルのすがた、それはとうてい見るに堪えない。シビルはよそう。アネッタだ。

アネッタ。妹よ、ゆるせ。おまえのその目に、おまえのまぶたにくちづけする。どうかぼくをゆるしてくれ。

いっぽうを立てると他方が立たない。だから、どちらも選ぶまい。あきらめよう。忘れよう。死んでしまおう。いや、死ぬまい。死んだつもりになることだ。身を隠すのだ。この国では、呪いとか、踏み越えがたい障害とかが、とうていそれをゆるしてくれない。

この国では、生活も恋もありえないのだ。

おさらばだ。

未知の魅力。新しいあしたの魅力。陶酔感。忘れるのだ。すべてを新たにはじめるのだ。くるり半回転。停車場へ駆けつける。ローマへ向かってすぐ出る列車。ローマでは、ジェノアへ向かってすぐ出る列車。ジェノアでは、すぐ出る便船。アメリカか、オーストラリアか。

たちまち彼は笑いだした。

恋愛だって？　じょうだんじゃない。おれの愛しているのは人生なんだ。

前進。

ジャック・ボーチー

アントワーヌは、はたと雑誌を閉じ、それをポケットに突っこむと、そわそわしたようすで立ちあがった。立ったまま、彼は一瞬光の中で目をしばだたいた。そして、とりみだしたのに気がつくと、ふたたび椅子に腰をおろした。

読んでいるあいだに、中二階には誰もいなくなっていた。ゲームをしていた連中は、みんな晩食を食いにいっていた。すでにオーケストラもやんでいた。例の片すみでは、ユダヤ人と《人権》氏だけが、雌ねこの浮きうきとした目の下で、双六(すごろく)ゲームを終わろうとしていた。男は、火の消えたパイプを吸っていた。そして、彼が賽(さい)を投げるごとに、《雌ねこ》は、さもしたり顔の小さな笑い声をひびかせながら、ユダヤ人の肩の上から押しかぶさっていた。

アントワーヌは、足を伸ばし、タバコに火をつけると、つとめて考えをまとめにかかった。だが、雑然とした考えは、しばらくのあいだ、彼の眼差しとおなじく、どこへ落ちつこうというあてもなく、あなたこなたとさまよっていた。彼は、ようやく、ジャックとジゼール、このふたりの面影を払いのけることができた。そして、いくらか落ち着きをとりもどした。

さて問題は、事実を、単なる小説的空想にすぎないものからはっきり区別することにある。父子のあいだのはげしい争論、それは事実にちがいない。評定官セレーニョの言葉に、いくつかの特徴が指摘される。《ユグノーのやつらの陰謀だ！　くじいてみせるぞ！　糧道を断つぞ！　入営させるぞ！》それにまた《異教徒の娘に、家名を名のらせていいと思うか？……》突っ立ちあがり、胸を張り、やみの中、呪詛(じゅそ)の言葉を吐き散らしている父の怒声が、はっきり聞こえるようだった。《死ににに行きます！》ジウゼッペのこうしたさけびも、たしかに事実にちがいない。そのことから、チボー氏が、死んだと思いこんでいたことの説明もつく。捜索をはじめた当初から、チボー氏は、ジャックを死んだものと思っていた。彼は自分で、日に四度まで、モルグ（前出。パリにある変死体収容所）へあてて電話をかけた。こうしたさけびは、さらにチボー氏の悔恨——はっきりそうとは言わなかったが、自分自身がジャックの家出の原因であると信じていた彼の悔恨を物語るものでもあった。そしておそらく、こうした口に出されぬ悔恨こそ、手術まえ、老人をあれほど衰弱させた蛋白の発作に、ぜんぜん無関係とはいえないのだ。この二、三年にわたるすべてのこと、それはいま、こうした光に照らし出されて、まったくべつのものに見えだした。

アントワーヌは、ふたたび雑誌を取りあげて、ジャック自身によって書かれた献詞のところをあけてみた。

かの十一月の夜、きみは言わなかったか、《あらゆるもの、すべて両極の力につながる。真理はつねに両面を持つ》と。

恋愛もまた、往々にしてしかり。

《たしかに》と、彼は思った。《この二重な恋愛の併存……そうだ、たしかに……もしジゼールがジャックの愛人であり、いっぽうジャックがジェンニーにたいして熱烈な恋情をいだいていたとすれば、彼にとって、生きていることがとてもつらく思われだしたにちがいない。それにしても……》

アントワーヌは、あいかわらず何かはっきりしないものに行き当たっているような気持ちだった。ともかく、ジャックの失踪が、いま教えられたその愛情生活に関することだけで説明しつくされているようには思われなかった。そして、とつぜん集積されたほかのいくつかの因子があって、それがあしたとほうもない決意を起こさせたにちがいない。ところでそうした因子とは？

彼はたちまち、そうしたことを、なにもさしせまって考えないでもいいことに気がついた。さしせまっている問題は、そうした手がかりを十二分に利用し、一刻も早くジャックの踪跡を見つけ出すということだった。

雑誌の編集所に問い合わせてみる。これはきわめて無謀なことだろう。ジャックが消息を明らかにしていないというのも、つまりは、あくまで姿を隠そうとしてなのだ。彼に、自分の隠れ家が見つけられたことを気づかせるのは、たちまち彼をしてさらに遠いところへ逃げださせ、永遠にその姿を見失わせることにほかならない。うまくやるためには、ただひとつ、すなわち不意を襲うこと——しかも、それは自分でやるよりほかに道はない。（事実アントワーヌは、自分だけしか信頼していなかった。）彼はたちまち、自分でジュネーヴへ出かけて行った場合を想像した。だが、そこまで行って何をする？　しかも、ジャックが、もしロンドンに住んででもいるのだったら。よそう。そして、スイスへは、まずその方面の人間を行かせ、住所を探り出させることにしよう。《そうしたうえで、おれが出かけることにするんだ》と、彼は、立ちあがりながら思った。《うまくつかまえてやれさえしたら、今度は二度とのがさないから！》

彼は、その晩すぐに、私立探偵に情報をさずけた。
そして、三日の後、最初の報告がもたらされた。

（秘）

ジャック・ボーチー氏はまさにスイスに居住せらる。住所はジュネーヴにあらず、ローザンヌなり。同市において、氏はすでに数回移転せられたる由。去る四月以降、エスカリエ・デュ・マルシェ町十番地に住居せらる。素人下宿カンメルジン方。

スイスにいつごろ在住せられたるかについては、きょうまでのところ判明せず、しかれども、調査の結果、氏の兵役関係について知ることを得たり。

フランス領事館より内密に知り得たるところによれば、氏は一九一二年一月、ジャック・ポール・オスカール・チボー、国籍フランス人、一八九〇年パリに生まる……等の記載ある身分証明書その他の書類を携え、右領事館兵事課に出頭されたるもののごとし。氏の特徴については、これを領事館備付カードより転写することを得ざりしも（もっとも右は、すでにご承知のものと同一なり）、右カードによれば、氏は僧帽弁閉鎖不全の故をもって、すでに一九一〇年、パリ第七区徴兵検査委員の決定により最初の徴集延期の恩典をうけ、ついで、一九一一年、ウィーン駐在フランス領事館提出の診断書により、再度徴集延期の恩典に浴したるもののごとし。一九一二年二月ローザンヌにおいて再検査をうけ、その結果、行政手続により、セーヌ徴兵署に移牒せらるるに及んで、氏は第三回、しこうして最後の徴集延期に浴し、これにより、健康上の理由による兵役免除の件に関しては、本国官憲とのあいだに決定的解決をみるにいたれり。

ボーチー氏の生活は相当満足すべき状態にあるもののごとく、もっぱら学生、新聞記者等と交遊あり。《スイス新聞連盟》の賛助会員たり。数種の新聞雑誌へのその寄稿は、氏の正常なる生活を確保するにじゅうぶんなり。確聞するところによれば、氏は本名以外数個の姓名を用いて執筆され、これら仮名に関しては、後報入手次第、これを明らかにすべし。

探偵事務所の事務員が、この報告を急いで届けに来てくれたのは、日曜日の午後十時ごろのことだった。

月曜の朝出発するわけにはいかなかった。といって、チボー氏の病気のほうも、ぐずぐずしていることをゆるさない状態にあった。

アントワーヌは、備忘録をしらべてみた。つづいて列車時刻表をしらべてみた。そして翌晩、ローザンヌ行きの特急に乗る決心をした。そして、その晩、ひと晩じゅうまんじりともしなかった。

六

　翌日は、すでに多すぎるほどの用事があった。それにもかかわらず、アントワーヌは出発しなければならないので、そのあいだにいくつか余分な往診をはさまなければならなかった。朝早く病院に出かけ、一日じゅうパリを飛びまわり、昼食にも家へ帰らなかった。もどったのは、ようやく午後の七時を過ぎてから。そして、汽車は八時半に出るのだった。

　レオンが、旅行用のバッグを用意してくれているあいだ、アントワーヌは、きのう以来あわずにいた父のところへ大急ぎであがっていった。もちろん、全体としての症状は悪くなっていた。食餌の取れなくなっていたチボー氏は、ぐっと衰弱し、たえず苦しみを訴えていた。アントワーヌは、いつものように、病人にとって、毎日一服の強壮剤ともいうべき《お父さんおはようございます！》を口に出すために、ちょっとした努力を必要とした。彼は、いつもすわるところに腰をおろした。そして注意深い態度で、ほんのちょっとした沈黙さえ、それがまるでおとし穴ででもあるかのように避けるようにしながら、いつものとおりに病状をたずねた。彼は、微笑しながら父をみつめていた。それでいながら、今夜という今夜《もう長くないぞ》といった偏執観念を払いのけることができなかった。

彼は、いく度となく、父が自分のほうへ向ける熱心な眼差しに打たれた。何か物問いかけるような眼差しだった。

《いったいどの程度まで、自分で自分の病状のことを心配しているのだろう？》と、アントワーヌは心の中にたずねてみた。チボー氏は、自分の死ぬということについて、あきらめきったような、改まったような言葉を、いくたびとなく口にした。だが、心の底では、なんと考えているのだろう？

しばらくのあいだ、父と子は、ともにその秘密——おそらくそれはおなじ性質のものだったにちがいない——の中に閉じこもって、病気や、最新薬についてのさしさわりのない言葉をかわしていた。それからアントワーヌは、晩食まえに行かなければならない火急な往診を口実にして立ちあがった。チボー氏は、苦しかったにかかわらず、あえて引きとめようとしなかった。

アントワーヌは、誰にもまだ自分の出発のことを話していなかった。彼の考えでは、自分が丸一日半だけ留守にすることを、ただ童貞（スール）セリーヌにだけ話しておこうという腹だった。だが、彼が、父の部屋を出るとき、彼女はおりあしくまだ病人のそばにつきそっていた。

時はせまって来る。彼は、何分か廊下で待っていた。そして、童貞セリーヌの出てこないのを見とどけると、《おばさん》の部屋へ出かけて行った。彼女はちょうど何か手紙を書いているところだった。

「おお」と、彼女は言った。「いいところへ来てくだすった。わたしあての野菜の小荷物がなくなってしまいましてね……」

今夜田舎の重症患者に呼ばれたこと、たぶんあしたは帰ってこられないだろうが心配する必要のないこと、留守にすることはドクトル・テリヴィエも知っているから、事があったらすぐ駆けつけてきてくれるだろうこと、彼は、それらをわからせるのにひと骨折った。

もう八時をすぎていた。汽車の出る時刻かつかつだった。

タクシーは、大急ぎで停車場へ向けて走っていた。すでに人けのなくなった河岸っぷち、黒い、つやつやした橋、カルーゼルの広場など、すべて探偵物のフィルムに見られるようなあわただしさで走りすぎて行く。めったに旅行したことのないアントワーヌにとって、こうして、夜、車を走らせて行くことの興奮、時間におくれはしまいかという心配、そのほか心についてはなれない無数な考え、それにまたこれからやろうとしていることの危険さなど、すべては彼をしてみずからを忘れさせ、自分が何か大胆な、こわいもの知らずのことでもしているような気持ちにさせた。

席のとってあった車室の中は、ほとんど満員に近かった。眠ろうとした。だが、どうしてもだめだった。いらいらしながら、停車場の数をかぞえてみた。夜も終わりに近く、ちょうどとろとろ眠りかけようとしていたとき、機関車がやけに汽笛を鳴らした。汽車は、ヴァロルブ駅へはいりかけて速度をゆるめていた。税関でのいろいろな手続き、冷たいホールへの中の出たりはいったり、スイスふうの牛乳入りコーヒーなど、そうしたあとでどうしてふたたび眠れよう。

外は、十二月のおそい黎明の中に、ふたたび形をとりもどしはじめていた。汽車は、谷にそって走り、そして、その両がわのいくつかの丘も見わけられていた。色といってはなにもない。ためらいがちな、荒々しい黎明の光の中に、それはただ、白地に黒の、木炭がきの風景というにすぎなかった。

アントワーヌの眼差しは、ただ受動的に、わが前にあらわれるものを受け入れていた。雪は丘々の頂をおおい、あるいは、なかば溶けかかった板状を成して、黒ずんだ土地のくぼみのあたりにつらなっていた。と思うと、樅の木立の影が、青ざめた地色の上に、とつぜんくっきり描き出された。つづいて、すべては一度に姿を消した。汽車は、雲の中を走っていた。ふたたび田野が姿をあらわす。霧のなかにちらちら見える小さないくつもの黄いろい灯は、いたるところ、人口過剰なこの土地の、朝の生活を教えていた。すでに、いくつもの島とでもいったような家々は、ますますその影をはっきりさせ、だんだん暗さを捨てて行く。建物の中には、消え残った灯の数がだんだん少なくなっていった。いつとも知らず、黒い地面はだんだん緑に変わっていった。そして、平野は、やがてただ一面の豊かな牧場にかわってしまい、そこには、雪のつくるしまが、土地の起伏やみぞのひとつひとつ、それにちょっとした畝のありかまでをもしめしていた。まるで卵をかかえためんどりのような、そしていま、菜園の地面にどっしり腰をおろしているかのようなたけの低い農家が、ありとあらゆる窓のよろい戸をあけ放っていた。日がのぼっていた。

アントワーヌは、ぼんやりしたようすで、ひたいをガラス窓にあて、こうした異国風景の寂しさをしみじみ心に感じながら、ぜんぜん無気力になっていた。自分のしようと思っていることの困難さは、いま彼の前に、圧倒的なものとして立ちふさがってでもいるようだった。そして彼は、こうした不眠の一夜のあとでは、自分に歩の悪いことを気づかわずにはいられなかった。

そうこうしているうちに、汽車はローザンヌに近づいていた。そして、すでにその町はずれを走っている。彼は四方にバルコニーをめぐらし、小さな摩天楼とでもいったようにたがいに孤立しあって立っている立方体の家々の、まだ閉ざされたままの正面をながめていた。ちょうどいまごろ、こうした黄樅のよろい戸のうしろで、ジャックが目を覚ましかけていないと誰に言えよう？

汽車がとまった。冷たい風がプラットフォームをはいていた。アントワーヌは身ぶるいした。人々は、地下道の中にのまれて行っていた。まるで熱にでも浮かされたような、そして何から何までがしびれたようで、いまや精神と意思との統制力をすっかり投げすててしまっていた彼は、旅行バッグを引きずりながら、さてこれからどうしたものかと迷いながら、みんなのあとについて行った。《ご洗面》《ご入浴》《シャワー・バス》ひと風呂あびてからだを休め、冷たいシャワーをあびて元気になるか？ひげをそり、シャツでもとりかえるか？ 生まれかわった気持ちになるには、それよりほかに道がなかった。

それはたしかに名案だった。彼は、ふしぎな泉にでも浴したように、生まれかわった気持ちで風呂を出た。そして、手荷物預り所へ行って荷物をあずけ、決然として、どうでもなれと立ち向かった。

いま、雨は吹き降りになっていた。彼は、町へ行こうと思って電車に乗った。やっと八時をまわったところというのに、すでにほうぼうの店があいていた。雨外套を着、オーヴァーシューズをはいた、静かな、忙しそうな人たちが、すでに歩道をいっぱいにして歩いていた。そうした彼らは、車道には一台の車も通っていないにかかわらず、そこへ踏み出さないようにと心をくばっていた。

《勤勉な、そして夢のない町》いつでもすぐ総括的意見を組みあげる習慣を持っていたアントワーヌは、そう考えた。彼は、地図をたよりに、市役所前の小さな広場まで行くことができた。彼が鐘楼の大時計を見あげたとき、ちょうど三十分が鳴っていた。ジャックの住む町は、その広場のはずれにあたっていた。

エスカリエ・デュ・マルシェと呼ばれるその町は、ローザンヌ中でも、一番古い町のひとつにちがいなかった。それは、町というよりは、横町のはしくれといったようなもの。往来は段になっていて、家並みといってはその左側にしかないのだった。家々の前には、次々と重なりあった段からできている、いわゆる《往来》がよじのぼっていっていた。家並みとむかいあったところには、ずっと壁がそびえており、それにそっては、えんじ色に塗られた、中世風な屋根をいただいた木の階段といったようなものがはいあがっていた。こうした屋根のついた階段は、思いもかけぬながめを見せてくれていた。アントワーヌは、その階段のところへ行ってみた。この町の家々は、行儀悪く並んだ、狭い、見すぼらしい家々で、階下のところだけが、十六世紀このかた店になっているのだった。十番地へ行くのには、玉べりをとったかまちの下におしつぶされたようになった、低い戸口をはいっていかなければならなかった。あけ放された入口のとびらは、その上に書かれている看板の文字さえ読みづらかった。アントワーヌは、やっとのことで、《御下宿J・H・カンメルジン》という文字を読みわけた。ここだ。

三年間なにひとつ消息のないのに心をいらだて、自分と弟とのあいだにまるで全宇宙が横たわってでもいるように思っていたのに、いまこうやって、ジャックと相へだたることわずか何メートル、彼に会うまで、わずか何分間というところまできている……だがアントワーヌは、しっかり感動をおさえていた。職業柄、そうした訓練ができていたのだ。すなわち、精力を集中すればするほど、ますます冷静になり、ますます明敏になることができるのだった。《八時半だな》と、彼は思った。《家にいるにちがいない。おそらくまだベッドの中にいるんだろう。〈御用!〉とくるにはもってこいの時刻だ。もし家にいるということだったら、会う約束になっていると言おう。そして、取りつぎなしに部屋まで行き、そしてそのままはいって行く》彼は、洋傘にからだをかくしながら、しっかりした足取りで車道を横切り、入口の石段を二段またいだ。

スレートの廊下。それから、幅のひろい、そうじが行きとどいてはいるが、薄暗い、手すりのある昔風な階段。どちらを見てもドアがなかった。アントワーヌは、階段をあがりはじめた。彼の耳には何かはっきりしない人声が聞こえてきた。頭が踊り場の上へ出たとたん、彼には、ガラス張りの食堂の戸の向こうに、食卓をかこんでいる十人あまりの人たちの食事をしている姿が目にけいった。彼は、こう思うだけの余裕を持っていた、《廊下が暗くってよかったな。こっちの姿は見えないんだ》それから、《みんなそろって朝食を食っているんだな。やつの姿が見えないぞ。もうじきおりてくるにちがいない》すると、たちまち……ジャックだ……ジャックの声だ！……ジャックが何か言ったのだ！ジャックがいた。生きたジャックが。一点疑うことのできないひとつの事実。

アントワーヌは、よろよろした。はっとした彼は、思わず五、六段あわただしく駆けおりた。息をするのも苦しかった。心の底からこみあげる愛情が、とつぜん胸にひろがって、息もつけなくなっていた。それに、知らない人間がおおぜいいる……どうしたものだろう？　帰ったものか？　彼は心をとりなおした。闘争的な精神が、彼を前へと駆りたてた。猶予すべからず、すぐ行動に出なければ。彼は、慎重に顔をあげた。彼の目には、ジャックの横顔が見えた。それも、間をおいて。近くにいる人たちにさまたげられてのことだった。あごひげの白い小柄な男が正座についていた。テーブルの前には、年のころさまざまな五、六人の男が坐っていた。正座の老人の正面には、ブロンドの、美しい、まだ年の若いひとりの女が、ふたりの少女のあいだに席をしめていた。ジャックは、身を乗り出していた。その言葉は、早口で、潑剌として、まるで流れるようだった。そしていま、さもさし迫った脅威とでもいったように弟のうえに臨んでいるアントワーヌには、人間が、運命のきわめて重大な時機に際して、なんと安心した気持ちでいられるものか、すぐあとからおこることにたいして、いかに無関心でいられるものかということが考えられて、感慨無量なものがあった。もっとも、一座の面々は論争に気をとられていた。老人は笑っていた。ジャックは、自分の前のふたりの青年に何か言いかけているらしかった。彼は、一度もアントワーヌのほうを向かなかった。彼は、二度までつづけて、自分の主張を強調するため、右手を鋭く打ちおろした。それは、アントワーヌの忘れていたところのものだった。そして、いままでよりずっとはげしい言葉が言いかわされたかと思うと、ジャックはとつぜん微笑した。ジャックの微笑だ！

それを見ると、アントワーヌは、もうなんの思案もせずに階段をあがった。そして、ガラス張りのドアのところまで行き、それを静かにあけると、帽子を取った。

十個の顔が、さっと彼のほうへふり向けられた。だが、彼には、そうしたものなど目にはいらなかった。老人が席を立ち、何か問いかけたことにも気がつかなかった。彼は、思い決した、うれしそうな目を、じっとジャックの上にそそいでいた。そして、ジャックのほうでも、目をみはり、なかば口をあけたまま、兄をみつめるばかりだった。何か言いかけたまま、とつぜんそれを中断されて化石したようになっている顔の上には、まだ快活な表情のなごりがのこっていた。だが、それもいまは渋面とでもいうようだった。わずか十秒ほどのできごとだった。ジャックは早くも立ちあがっていた。何よりもまず、この場をうまくごまかすこと、見苦しい騒ぎをしでかさないこと、そうした考えよりほかになかった。

ジャックは、しっかりした、せきこんだ足どりで、さもこの来客を待ちわびてでもいたようなぎごちない愛嬌を見せながら、つかつかとアントワーヌのほうへ進んでいった。いっぽうアントワーヌも、そのお芝居に腹をあわせて、踊り場のところまで引きさがった。ジャックは、ドアをしめて、兄のそばへ来た。ふたりは、機械的にでも手を握りあったにちがいなかった。だがふたりとも、そうしたことを意識しなかった。なにしろふたりは、ひとことも口にしなかった。

ジャックは、ちょっとためらったようすで、アントワーヌに向かって、いっしょにこいといったような、何か荒々しい身ぶりをした。そして階段をあがって行った。

七

二階、三階、四階。

ジャックは、手すりにつかまりながら、あとをふり向きもせず、重たげな足どりであがって行った。アントワーヌは、いまはもうしっかり落ちつきをとりもどして、そのあとについてあがっていった。あまり気持ちが落ちついていて、彼自身、おりもおり、こうした場合、これほど平然としていられるのがふしぎだった。これまでにも、彼は不安な気持ちでいく度かわれとわが心に問いかけていた。《こうしてわけなく落ちつけるというのは、いったいどうしたことだろう？　何ものにも動じない性質とでもいったようなものか——それとも感情の欠乏、冷淡さとでもいったようなものなのか？》

四階の踊り場には、ひとつのドアがあるだけだった。そのドアをジャックがあけた。ふたりが部屋にはいると、ジャックはドアに鍵をおろした。そして、ようやく、兄のほうへ目をあげた。

「なんのご用？」と、彼は、しわがれた声ではき出すように言った。

だが、そのいどみかかるような眼差しは、愛情こめたアントワーヌの微笑にゆきあたった。兄は人のよさそうな顔だちのかげに、いかにも用心ぶかく、時機を待つといったような覚悟を見せながら、それでいて、いざとなればすぐにもといったようすを見せていた。

ジャックは、顔を伏せた。

「どういうんです？　なんのご用です？」と、彼はくり返した。その言葉は、悪感情にみち、不安にふるえ、なさけないといったようなものだった。だが、アントワーヌは、ふしぎなほど冷静な気持ちを保ちながら、ただ表面、感動しているようすをして見せなければならなかった。

「ジャック」と、彼は、ぐっと弟のほうへ近よりながら、つぶやくように言った。そして、その役割を演じながら、活発な、明敏な目で、弟を観察しつづけていた。そして、昔とちがった、またいままで想像していたのともちがった、肩幅、風貌、眼差しを見いだして驚いていた。

ジャックのまゆげがけいれんした。彼は、がんばろうとしたがだめだった。口をかみしばって、すすり泣けそうになってくるのだけはおさえることができた。やがて、怒りのこもったためいきをついたと思うと、彼はとつぜん、自分の弱さにがっかりしたように身を投げ出し、アントワーヌの肩にひたいをあてた。そして、歯を食いしばり、おなじ言葉をくり返した。

「なんのご用です？　どういうご用なんです？」

アントワーヌの心の中には、すぐ答えてやらなければならない、まっこうから一太刀いかなければいけないといった直観がひらめいた。

「お父さんが危篤なんだ。もう臨終にまがないんだ」彼は、ここでひと息入れた。そして、さらにつづけて、「それできみを呼びに来たんだ」

ジャックは身動きもしなかった。父？　父の死が、こうして自分の作りあげている新しい生活の中までもはいってきて自分をとらえ自分を隠れ家から追い立て、そして、自分の家出の動機について、何であれ変更を加えることになろうことなど、はたして考えられたことだろうか？　アントワーヌの言った言葉のうち、ただひとつ彼の心を深く打ったのは、それは最後の《きみ》という言葉、もう何年というあいだ、耳にしないでいた言葉だった。

黙っているのに堪えきれずに、アントワーヌは言葉をつづけた。

「おれのそばには誰もいないんだ……」彼は、とつぜん思いついて、「《おばさん》も役にたたないし」と、説明した。「それに、ジゼールもイギリスに行ってるし」

ジャックは、急に顔をあげた。

「イギリスに？」

「そうなんだ。いま、ロンドンの近くの修道院の寄宿舎で、免状をとるために勉強している。そして帰ってこられないんだ。まったくのところおれひとり、どうしてもきみに来てほしいんだ」

がんとしたジャックの気持ちの中には、自分でもそれと気がつかずに、何かしら動かされたものがあった。まだはっきりしたものではなかったが、彼には、家にもどるということが、なにも根本的に受諾できないものとは思われなくなっていた。彼はさっと身をひるがえすと、なんというわけもなしにふた足ばかり前へ進み、つづいて、さもわが身の悩みの底まで沈みこもうというかのように、仕事机の前の椅子にへたりこんだ。彼は、アントワーヌの手が、自分の肩におかれたのにも気がつかなかった。そして、両腕の中に頭をかかえながらすすり泣いていた。彼はいま、三年このかた、石をひとつずつ積み重ね、苦しみや、自負心や、孤独のなか、われとわが手で築きあげた隠れ家が一瞬にしてくずれ落ちるのを見せられたような気持ちがした。こうした混乱のなかにあっても、俊敏な彼は、自分を待ちうけている運命を直視し、いまさらどんなに逆らったところでけっきょくなんにもならないであろうこと、おそかれ早かれつれもどされるであろうこと、わが身の自由とまではいかないにしても、こうした楽しい孤独の生活もすでに終わってしまったのだということ、こうなるうえはむしろどうにもならないこととおれ合ったほうが得策であることをみてとった。だが、そうした自分の無力を思うとき、彼は、苦悩と憤激とに息ができなくなってしまった。

アントワーヌは、しばらく愛の呼びかけを休めるといったように、突っ立ったまま、じっと弟を観察し、何か考えつづけていた。彼は、すすり泣きにはげしく震えるジャックの襟のあたりをながめていた。彼には、ジャックが子供のころ、身も世もあらぬ思いをしていたときのことが思いだされた。だが、彼は落ちつきはらって、時機の至るのを待っていた。すすり泣きが長びけば長びくだけ、ジャックは、ますますあきらめざるをえなくなってくるにちがいないと思っていた。

いま、アントワーヌは手をひっこめていた。彼は、身のまわりをながめまわし、一瞬いろいろなことを考えた。部屋は、清潔というより以上に、なかなか快適だった。天井は低い。どうやら屋根裏につくってある部屋らしかった。だが、ひろびろとして、明るく、気持ちのいいブロンドの色を見せていた。蠟色をした、つやのいいゆか板は、自然にきしみを立てていた。それは、まきがぼうぼう燃えている、白い小さな瀬戸ストーヴの熱気のためにちがいなかった。花束模様のついた麻布の安楽椅子が二脚。書類や新聞をいっぱいのせたテーブルがいくつか。書物といってもたいしてなかった。五十冊ばかりもあったろうか。それは、乱れたベッドの上にあたる棚の上にのせてあった。写真といっては一枚もない。昔の思い出はなにもなかった。自由で、ひとりぼっちで、思い出なんかよせつけないんだな！――そう難じながらも、アントワーヌの心には、一抹羨望の気持ちがまじっていた。

彼は、ジャックが落ちついてきたのに気がついた。いよいよこっちの勝利かな？　パリにつれてかえれるかしら？　彼は、心の底に、一瞬たりとも成功を疑っていなかった。するとたちまち、彼の心は、せきを切ったような、愛情の波、愛と憐憫とのはげしい発作に襲われた。彼は、弟をだきしめてやりたかった。そして、うなだれている首筋の上に身をかがめた。そして、低い声で呼んでみた。

「ジャック……」

だが相手は、ぐっと腰に力を入れたと思うと、立ちあがった。そして、憤然としたようすで目をふきながら、じっと兄をみつめた。

「おこってるのか？」と、アントワーヌが言った。

返事がない。

「お父さんが死にかけてるんだ」と、アントワーヌは、言いわけのように言った。

ジャックは、一瞬顔をそらせた。そして、

「いつ?」と、たずねた。声は荒っぽく、うわずっていた。その顔は、苦しそうだった。アントワーヌの眼差しに出あうと、はっと自分のいま言った言葉に気がついた。彼は、うつむいてこう言いなおした。

「いつ……出発するんです?」

「できるだけ早くだ。きわめて危険な容態なんだ……」

「あした?」

アントワーヌは、ためらった。

「つごうさえよければ、今夜にでも」

ふたりは、一瞬たがいに見かわした。ジャックは、軽く肩をすくめた。今夜であろうとあしたであろうと、そんなことなどどうだっていうのだ?

「晩の特急で」と、彼は表情のない声で言った。

アントワーヌには、これでふたりの出発のきまったことが理解された。だが、彼は、自分のはげしく希望していることにいつも確信を持っていた。したがって、べつに驚きもしなければうれしくも感じなかった。

ふたりは部屋の中央に突っ立っていた。往来からは、なんの物音もあがってこなかった。まるで田舎にでもいるようだった。急な屋根の斜面を、雨がしずかに流れていた。そして時おり、風のいぶきが、納屋のかわらの下からほえたけりながら吹きこんで来ていた。ふたりのあいだには刻一刻、気まずい思いが高まっていった。

アントワーヌは、ジャックがひとりになりたがっているんだなと思った。

「何か用があるんだろう」と、彼は言った。「おれは出てくるよ」

すると、相手はさっと顔をあからめた。

「ぼく？　ちがう！　だってどうして？」そして、あわただしく腰をおろした。

「そうか、ほんとうに？」

ジャックは、うなずいてみせた。

「じゃあ」と、アントワーヌは、何かとってつけたような響きのする親密さをよそおいながら言った。「おれも腰をおろすかな……いろいろ話しあいたいこともあるんだから！」

じつをいうと、彼は、とくに自分のほうからいろいろたずねたいことがあったのだった。だが、そうするだけの勇気もなかった。時をかせごうという気持ちから、彼は父の病気のさまざまな経過について、こみ入った、そしてわれにもあらず専門に立ち入った話を始めた。そうしたこまごまとした話は、彼自身に、単に絶望的な症状を思いださせただけではなかった。それは同時に、病室自体、病人のベッド、むくみのきた、青い、そして痛みを訴える病人の顔、引きつれた顔、さけび、しずめてやれない苦しみなどまでを思いださせた。そしていま、声をふるわせているのはむしろ彼のほうだった。それに反して、ジャックは、安楽椅子に身をまるめ、暖炉のほうへ、《なるほど、お父さんが死にかけている。そこであなたが、ぼくをひき立てにいらしった。よろしい。行きましょう。だが、もうそれ以上はまっぴらですぜ》とでもいうような、気色ばんだ顔を向けていた。ただ一度だけ、アントワーヌにとって、こうした弟の冷淡さがゆるんだように見えたときがあった。それは彼が、父と《おばさん》が、昔の歌をたどたどしくうたっているのをドア越しに聞いたときのことを話してきかせたときだった。ジャックにも、あのくり返しが思いだされたにちがいなかった。目をじっと暖炉にそそいだまま、ゆっくり微笑した。その苦しそうな、また悲しそうな微笑……それこそ少年ジャックの微笑だった！

だが、すぐあとで、アントワーヌが——「あんな苦しみようをするんだと、むしろ死んだほうが楽になれるな！」と、言ったとき、それまでひと言もいわずにいたジャックは、急にはげしい声をあげた。

「あなたのほうは、ね」

アントワーヌは、不愉快になって口をつぐんだ。こうしたいやみのなかには、たしかに強がりが受けとられた。だが、同時に、断じて譲らないぞといった恨みの気持ちもうかがわれた。そして、病気の父、瀕死の父にたいしてのそうした恨みこそは、彼にとってゆるせなかった。彼はそれを正しからぬものと考えた。少なくともそれは、事実を知らない言葉であると思った。彼は、チボー氏が、自分ゆえにジャックが自殺したと考え、涙を流してわれとわが身を責めていた夕方のことを思いだしていた。そしてまた、ジャックの失踪が、チボー氏の健康にいかに影響をおよぼしたかも忘れることができなかった。父の病気の初期をあれほどすみやかに促進させた神経方面の衰弱、その原因として、悲嘆や悔恨がどれほど大きく作用していたことか。そしておそらく、それさえなかったら、病症が、現在あれほどすみやかな発展をみせることもなかったろう！

ジャックは、兄の話の切れめを待ちきれないとでもいったように、とつぜんたちあがってこう言った。

「ぼくのところ、どうしてわかった？」

いまは、隠すわけにいかなかった。

「……ジャリクールに聞いたんだ」

「ジャリクール？」ほかのどんな名まえも、これほど彼を驚かしはしなかったろう。彼は、はっきり区切りながらくり返して言った。「ジャ・リ・クール？」

アントワーヌは、紙入れを出した。そして、自分が封を切ったジャリクールからの手紙をとり出し、それを弟の前へ出した。それが一番簡単な方法だった。もうそれだけで、すべてははっきり説明されるのだ。

ジャックは手紙をひっつかみ、ひとわたりざっと目を通すと、窓のところへ行き、まぶたをふせ、口を結び、厳然としたようすで、しずかにそれを読み返した。

アントワーヌは、子細に彼の姿をながめていた。三年まえには、まだ少年らしいたゆたいを見せていたこの顔。それはいま、ひげもすっかりそられているので、そんなにちがって見えるはずはないのに、べつにどこと取り立ててというわけではなしに、彼の注意をひきつけずにはいなかった。そこには、まえよりも緊張が見られていると同時に、まえほどの傲慢らしさ、まえほどの不安らしさがかげをひそめていた。おそらく、まえほど強情でなくなっているにちがいなかった。と、同時に、まえよりもさらに毅然としたものがうかがわれた。ジャックには、たしかに愛くるしさがなくなっていた。それでいて、そこには力が加わっていた。いま見る彼は、ずんぐりしたといったような青年だった。頭も大きくなっていた。それは、ぐっと広がった両肩のあいだにうずまってでもいるようだった。そして、それを、いささか傲慢らしい、少なくも挑戦的に見える態度で、いつもぐっと後方にあお向けかげんにしていたあごは、おそろしいほどたくましかった。口は、精力的で、肉がしまっていた。それでいて、何か寂しそうな形をしていた。この表情など、ずいぶん昔とちがっていた。顔色は昔のままに白く、ただ顴骨(かんこつ)のあたりにそばかすのしみが見えていた。だが、かなりふさふさしていた髪は、いま褐色というより栗色に変わっていた。それはたくましい顔のまわりに奔放なかたまりのように見えていて、顔をさらに大きく見せていた。濃い、そして金色の反射を見せたひとふさの髪は、たえずいらだたしげにかきあげられ、しかもいつもこめかみの上にたれさがっては、ひたいの一部を隠していた。

アントワーヌの目には、彼のひたいがぴくぴく動き、まゆげのあいだに二条のしわの刻まれているのが見えた。彼は、手紙が、ジャックの考えにどんな衝撃をあたえたかを推察した。そして弟が、それを持っていた手をおろし、彼のほうを向き直って次のように言ったとき、さてはきたなと思った。

「じゃ、兄さんも……兄さんもぼくの作品を読んだ?」

アントワーヌは、ただまぶたを閉じ、それをまたあげて見せただけだった。唇というより、むしろその目に微笑をたたえながら、彼は、愛のこもった眼差しで、弟のいきりたった気持ちをおさえてやった。弟は、まえほど突っかかるちょうしではなしに、次のように言いたした。

「……で、ほかに誰が読んだ?」

「誰も」

ジャックは、信じられないといった目つきをして見せた。

「保証する」と、アントワーヌは言いきった。

ジャックは両手をポケットに突っこみながら口をつぐんだ。じつをいうと、彼はたちまち、兄に『ラ・ソレリーナ』を読まれたことなぞなんでもないように思いはじめていた。彼は、むしろそれについての兄の意見をさえ聞きたかった。彼自身では、この作品にたいしてきびしい態度を持っていた。彼は熱情をもって書いたことにはまちがいないが、なんにしてもいまを去る一年半もまえの作品だ。彼は自分が、それから以後、大きな進歩をしたことを思っていた。そして、そこに見られる気どりや、詩や、青年らしい誇張などが、今日から見て、なんともたまらないものと思っていた。何よりもふしぎなのは、彼がその作品の主題なり、その主題とわが身の物語との関係なりを、すっかり忘れていたことだった。そうした過去にいったん芸術的存在をあたえたうえは、彼は、そうしたものが自分からまったく離れてしまったもののように思っていた。そしてたまたま、そうしたにがい経験のことを思いだすと、彼はすぐ《だが、そのことからも回復したんだ》と、考えた。そんなわけで、アントワーヌから《つれに来た》と言われたとき、まず、第一に反射的にひらめいたのは《おれは回復した》という考えだった。それにたいして、少ししてから、《それに、ジゼールもイギリスに行ってることだし》と、考え加えた。(彼は、やむをえない場合、ジゼールのことを思いだし、その名を口にすることだけはしていた。だが、ジェンニーのこととなると、ちょっとそれに触れることさえ、はげしく拒否していたのだった。)

彼は、窓の前、身動きもせずに突っ立って、遠く目を放ちながら黙りこんでいたあとで、ふたたびふり返った。

「兄さんがここに来たこと、誰か知ってる?」

「誰も知らない」

今度は、そのまま引きさがろうとしなかった。

「お父さんは?」

「知ってない!」

「ジゼールは?」

「知らないさ、誰も知ってはいないんだ」アントワーヌは、ためらった。そして、弟をすっかり安心させてやろうと、言葉をつづけて言った。「ああしたことのあったあとだ。それにジゼールもロンドンに行ってることだし、知らないほうがいいと思うんだ」

ジャックは、兄の顔をうかがっていた。何か問いかけるようなひらめきを目に浮かべたが、それもそのまま消えてしまった。

ふたたび沈黙が立ちもどった。

アントワーヌは、そうした沈黙をおそれていた。だが、それを破ろうとすればするほど、かえってそうする機会がえられなかった。もちろんたずねたいことは山ほどあった。だが、あえてきり出す気持ちになれなかった。彼は、何かしらふたりの気持ちをもっと親しくさせるような、簡単であぶなげのない話題を求めていた。だが、何ひとつそうしたものは見当たらなかった。

事態険悪とみえたとき、ジャックはとつぜん窓をあけて、部屋の中に身を引いた。深々としたねずみ色の毛並み、鼻づらのまっ黒な堂々たるシャム産のねこが一匹、ひらりとゆかの上に飛びおりた。

「お客さまか？」アントワーヌは、この思いがけない方向転換を喜びながら言った。

ジャックは微笑を浮かべた。

「友だちなんだ」そして、さらにつけ加えて言った。「しかも、じつにえがたいやつなんだ。ときどき、思いだしたようにやって来る友だちなんだ」

「どこから来るんだね？」

「誰も知ってはいないらしい。かなり遠くから来るにちがいない。ここの町では、誰も知っていないんだから」

ねこは、まるでドイツごまのように咽喉（のど）を鳴らしながら、いかにももっともらしいようすで部屋の中を歩きまわっていた。

「ぬれてるな」と、アントワーヌが言った。沈黙そのものまでも、自分たちのまわりをうろつきまわっているような気持ちだった。

「いつもたいてい雨降りの日にやって来るんだ」と、ジャックが答えた。「ときどき、ずっとおそく、真夜中ごろにやって来ることがある。窓のガラスをひっかく。はいって来る。暖炉の前でからだをなめる。そして、からだがかわききると、おもてへ出してくれと言う。一度もからだをなでさせない。もちろん物をやってもなにもたべない」

ねこは、ひとわたり部屋を調べまわると、半あきになった窓のところへもどって行った。

「ほほう」と、ジャックは、ほとんど愉快そうな声を立てた。「まさか兄さんがいようとは思わなかったんだな。帰ろうとしている」なるほど、ねこは、亜鉛張りの窓のふちに飛びのると、あとをも見ずに屋根の上へ出て行った。

「おれが闖入者だっていうことを、いやにはっきりわからせやがった」アントワーヌは、なかばまじめなちょうしでこう言った。

おりから窓をしめかけていたジャックは、聞こえなかったようなふりをした。だが、ふり返ったその顔はまっかだった。彼はしずかに、縦横に部屋を歩きはじめた。

またもや沈黙がおびやかしはじめていた。

アントワーヌは、いたしかたなく――もちろんジャックの気分を変えたいと思い、かつは彼自身気がかりでもあったため――、父のことを話しはじめた。彼は、手術後のチボー氏の性格がどんなに変化したかということを力説した。そして、思いきって次のようなことまで言ってのけた。

「きみだって、この三年間、おれとおなじように、お父さんの老いこんでゆく姿を見ていたら、きっと考え直すにちがいないんだ」

「あるいはね」と、ジャックはあいまいな返事をした。

アントワーヌは、簡単には力を落とさなかった。

「それに」と、彼は言葉をつづけた。「おれはときどき考えるんだが、おれたちは、お父さんを、真実そのあるがままの姿において知っていたと言えるだろうか……」そして、この問題をとらえながら、彼はジャックに、つい先ごろあった小さな事実を聞かせてやろうと思いついた。「ねえ、知ってるだろう？」と、彼は言った。「家の前の、理髪屋のフォーボワさ。家具屋のそばの、プレ・オ・クレールの通りまで行かないうちの……」

うつ向きこんだまま、行ったり来たりしていたジャックは、このときはっと立ちどまった。フォーボワ……プレ・オ・クレールの通り……それこそは、こうしてわれからとじこもっている隠れ家のやみのなかにとつぜんさっとさしこんできた、自分ではもう忘れたつもりのひとつの世界のひらめきだった。彼は、はっきり、細かな物のすえにいたるまでを思いだした。歩道の上の敷石のひとつひとつ、飾り窓のひとつひとつ、焦茶の指をした年寄りの指物師、生気のない顔色をした古物商とその娘、それから《わが家》、自分にとっての過去の額縁、そうした《わが家》と、半びらきになっているわが家の入口、それに家番室、兄と暮らした階下の部屋、それにリスベット、そしてさらにはるかにさかのぼると、放任されていた自分の少年時代……リスベット、自分として最初の経験…… 彼は、ウィーンで、二度めのリスベットを知った。そして、その夫は、嫉妬のあまり自殺した……彼はとつぜん、出発のことをソフィアに知らせてやらなければならないと思った。カンメルジンの娘なのだ……

アントワーヌは話しつづけた。

で、ある日のこと、彼は急いでいたので、そのフォーボワの店へ行ったのだった。その店には、彼もジャックも、ともにぜったい散髪にいかないことにしていた。というわけは、毎土曜日、父がその店にひげを刈りこませに行くからだった。アントワーヌを見知っていた亭主は、すぐにチボー氏の話をはじめた。胸に白布をかけられ、所在なかった彼は、理髪師の語る言葉の中に、自分がいままでほとんど知らなかった父の姿の描き出されるのを見て驚いた。「つまり」と、彼は説明した。「おやじは、フォーボワの店へ行って、いつもおれたちのことを話してたんだ。とりわけきみのことを……フォーボワは、はっきりおぼえていた。ある夏の日、《チボーさんとこのぼんち》——これはおまえのことなんだぜ——が、バカロレアの試験に通ったときのことを。おやじが、店のドアを細めにあけてのぞきこんだことを。それは《フォーボワ君、家のぼんちが試験に合格してな》と、それが言いたかったためだったんだ。そして、フォーボワは言った。《旦那はぐっと顔をあげてね。はたで見ていておもしろうがした！》どうだ、思いもよらないこったろう？……ところが、おれが一番めんくらったのは、それは……三年このかたのいろいろなことだ……」

ジャックの顔は、軽く緊張した。そしてアントワーヌは、このまま話しつづけてもだいじょうぶかどうか考えてみた。

だが、彼にははずみがついていた。

「そうなんだ。おまえが家を出て行ってからだ。おやじは、何ひとつほんとうのことを言わなかった。そして町内の人たちをだますため、作り話をこしらえたんだ。たとえば、フォーボワは、こんなことを言っていた。《旅っていうやつは、なによりも一番よござんすなあ！　大旦那さまも、外国へ修業にお出しになれる以上、たしかにお行かせになっていいことをなさいましたよ。なにしろ郵便ていうやつがありますからな。今日では、どこにいたってたよりができますさあ。大旦那さまも言ってらしった、一週間以上もぼっちゃんからたよりのなかったことは一度もないって……》」

アントワーヌは、ジャックのほうを見ないようにしていた。そして、あまりはっきりしすぎたこうした題目から離れようと思って、

「おやじはおれのことも話していたということだ。《兄きのほうはいずれ医科大学の教授になるんだ》って。それに《おばさん》のことや女中たちのことも。フォーボワのやつ、家じゅうのことを知ってるんだ。それにジゼールのことまでも。あ、これも実際ふしぎなんだ。おやじはたびたびジゼールのことを話して聞かせていたらしいんだ！　（フォーボワにもおなじ年ごろの娘があったはずだ。その後どうやら死んだらしいが。）おやじに向かって《家（うち）の娘はこれこれのことをいたしますよ》って言うと、おやじのほうでも《家の娘は、これこれのことをしているぞ》まあこういったぐあいにね。

考えられるか？　フォーボワは、おやじから聞いたといって、おれ自身も忘れていたようなわんぱく小僧らしい言葉づかいを山ほど聞かせてくれた。その当時そうした子供のいろいろなことを、おやじがちゃんと観察していたとどうして思える？　ところがフォーボワは、おやじの言葉をそのままに、こうしたことまで話してくれた。《大旦那さまは、お嬢さんのおありにならないのを残念がっておいでてしてね。あっしにたびたび、こんなことをおっしゃいましたよ。〈なあ、フォーボワ君、あれもいままでは、自分の娘のようなものなんだ〉》彼の言葉をそのままなんだぜ。おれはまったくびっくりした。つまり、ぶっきらぼうな、おそらくは臆病な、そしてずいぶん苦しんでもいたと思われるこうした感情――いったい誰に想像できよう！」

ジャックは、なにひと言いわず、顔をあげようともせずに、あいかわらず行ったり来たり歩きつづけていた。そして、ほとんど兄のほうを見ないようにしていながら、しかもアントワーヌの一挙一動を見のがさなかった。彼は、べつに心を動かしてはいなかった。彼ははげしい、たがいに矛盾しあった衝動に揺りあげられていたのだった。彼にとって一番苦しく思われたのは、過去がいやおうなしに自分の生活の中に侵入してくるように思われたからのことだった。

ジャックが堅く黙りこんでいるのを見て、アントワーヌはがっかりした。これではぜったい、話のきっかけが得られない。彼は、弟から目を放さず、沈鬱な無関心への決心だけがしめされている顔の上に、ふとした考えの手がかりでもと求めていた。それでいて、弟を憎む気になれなかった。片いじで、そっぽを向いているにもかかわらず、ふたたび見いだすことのできた弟の顔が好ましかった。かつて、この顔をこれほどなつかしいと思ったことは一度もなかった。彼は、それを言葉や動作にあらわそうとは思わなかったが、心の中には、ふたたびさわやかな愛情がわきあがっていた。

こうしたあいだにも、沈黙は――勝ち誇り、確認され、圧倒的なものとなって、そこにどっしり座をしめていた。耳にはいるものは、雨樋（あまどい）のなかを走る水の音、ぼうぼう燃える暖炉の音、それにおりおり、ジャックの足もとに響きをたてる床板の音のほかにはなかった。

ジャックは、ちょっと暖炉へ近づき、ふたをあけるとまきを二本ほうりこんだ。そして、なかばひざまずいた姿勢のまま、自分のほうを見まもっているアントワーヌのほうをふり向いた。そしてとつぜん、荒々しいちょうしでこうつぶやいた。

「兄さんは、ぼくを辛辣に批判している。だが、どうだっていいや。そんなにされるわけはないんだ」

「じょうだんじゃない」と、急いでアントワーヌが訂正した。

「ぼくにはぼくなりに、幸福になるだけの権利があるんだ」と、ジャックが言った。彼は、えらい勢いで立ちあがり、一瞬黙っていたあとで、歯を食いしばりながら言った。「ぼくは、ここでとても幸福だったんだ」

アントワーヌは、身をのり出した。

「ほんとうか？」

「とっても！」

何か言葉をかわすごとに、ふたりは、一瞬、ものものしい好奇心、紳士的な、考え深げな控えめな態度で、顔と顔とを見かわした。

「信じよう」と、アントワーヌが言った。「もっともきみが家を出たというのは……だが、おれにはどうも……おれにははっきりわからないことがたくさんあるんだ……あ、おれとしたことが!」と、彼は用心ぶかげに声を立てた。「何も、きみに文句を言いに来たんじゃなかった……」

このときはじめて、ジャックは兄の顔に微笑をみとめた。彼は、緊張した、荒々しいほど精力的であるアントワーヌのことを思いだしていた。この微笑は、彼にとって、胸をおどらせずにはいられないほどの発見だった。彼は、とつぜん、気の弱くなるのをおそれたとでもいうのだろうか? こぶしを握り、腕をはげしくふりまわした。

「兄さん、よしてくれ。そんな話はもうやめだ……」そして、言い直すように言った。「いずれまた」その顔には真底からの苦しそうな表情がしめされていた。彼は、陰のほうへ顔をそむけ、まぶたをとじてつぶやいた。「あなたにはわからないんだ」

やがて、すべてはふたたび沈黙にかえった。だが、空気はずっと楽になっていた。

アントワーヌは立ちあがった。そして、無理じいというのでなしに、

「タバコ、吸わない?」と、言った。「おれはとても吸いたいんだ。かまわないかな?」彼は、すべてをぎょうぎょうしくしないこと、親しさと気楽さで、少しずつこの野性をならしていくのが上策で

あると思っていた。
二、三服煙を吐いた後で、彼は窓のほうへ進みよった。ローザンヌの町のすべての古い屋根屋根が、黒ずんだ荷鞍(にぐら)といったようなすがたを解けがたいほどにからませあって、湖水めがけてはせおりていた。そして、屋根屋根の輪郭は、雨の中に溶けてしまっていた。こけにおおわれた屋根がわらは、フェルトのように水を吸いこんでいるらしかった。見わたすはての地平線は、背後から光をうけた一列の山脈によってかぎられていた。巓(いただき)のあたりでは、雪は、いちようにねずみ色をした空の上に白く盛りあがっていた。そして、山腹の傾斜にかけては、鉛いろした地肌の上に、明るい流れをなして凍りついていた。さながら、暗澹とした牛乳の火山が、クリームを吐き出しているとでもいうようだった。
ジャックは、兄のそばへ歩みよっていた。

「あれがダン・ドッシュ」と、彼は腕をさしのべながら言った。

町は、層々と高まっているため、近いほうの湖水の岸は見えていなかった。そして、背後からの光をうけた向こう岸は、雨靄(あまもや)の向こうに、ただ影の絶壁といったような姿を見せていた。

「せっかくきれいな湖水が、きょうはまるで荒海のようにわきかえってるな」と、アントワーヌが言った。

ジャックは、たのしそうな微笑をうかべた。彼は、身動きもせず、目を岸から放すことができずにいた。そこには、夢の中に、いくつもの木立、村々、橋のそばにもやった小舟の列、山のホテルのほうへあがってゆくつづら折りの小道などが見えていた……さすらいと冒険とのこの舞台、これとも別れなければならないのだ――そして、帰って来られるのははたしていつか？

アントワーヌは、彼の注意をそらしてやろうと思った。

「朝のうち、いろいろ用があったんじゃないかね？」と、彼は言った。「それに……」彼は、《それに今夜出発することになると》と、つけたしたかった。だが、彼はそのままでやめてしまった。

ジャックは、じれったそうに首をふった。

「ううん、だいじょうぶ。ぼくはぼくだけのからだなんだ。なにもやっかいなことなんかありはしない、ひとりで暮らしているかぎり――ちゃんと……自分の自由を守ってさえいたら」その自由という言葉が、沈黙の中に響きわたった。つづいてまた、だがいまのとはちがった悲しそうなちょうしで、そして、目にじっと力をこめながら、「あなたにはわからないんだ」という言葉が、吐息のように口からもれた。

《いったいここで、どういう生活をしているのだろう？》と、アントワーヌは思った。《仕事は仕事として……だが、生活の道はなんで立てているのだろう？》彼は、しばらくこの考えに身をまかせながら、いろいろ想像を組み立ててみた。そうしたあげく、声を低めてこう言った。

「きみももう青年だ。お母さんの遺産から、きみのぶんがもらえたはずなのに……」

ジャックの目には、ちらりとふざけるようなひらめきが見えた。彼はあやうく、質問しかけるところだった。何かしら、残念なことをしたといったような気持ちが彼を襲った。ああしたとき、あんな苦労をせずにもすんだだろうに……チュニスではドック働き……トリエステでは《アドリアチカ》の地下室の労働……インスブルックでは《ドイッチェ・ブーフドルックライ》（ドイツ印刷工場）での仕事……だが、それもほんの一瞬思い浮かんだだけだった。そして、父の死により、確定的に楽になれるという考えさえぜんぜん頭に浮かばなかった。そうだ！　彼らの銭なんかあてにしないぞ！　彼らなどはあてにしないぞ！　自分ひとりでやっていくんだ！

「どうしてやってるね？」と、アントワーヌは思いきってたずねてみた。「生活費は苦労せずに手にはいるのかね？」

ジャックは、ぐるりとあたりをながめまわした。

「ごらんのとおり」

アントワーヌは、さらに重ねて問いかけずにはいられなかった。

「え？　何をやってる？」

ジャックの顔には、ふたたび、はっきりしない、片いじな表情が浮かんでいた。ひたいの上には、寄ったり消えたりしているしわが一筋見うけられた。

「干渉しようと思って聞くんじゃない」と、アントワーヌはいそいで言った。「おれは、ただひとつのことしか望んでいない。おまえがりっぱに生活を打ち立ててくれること。おまえが幸福になってくれること！」

「ああ、それ！……」と、ジャックの口からは沈鬱な声がもれた。そのちょうしから察するところ、それはたしかに《ああ、それ――ぼくが幸福になるなんて――とんでもない！》とでもいうような意味なのだった。――ジャックはたちまち、肩をすくめ、疲れたような声で言った。「兄さん、もうよして……あなたには、とてもぼくというものがわからないんだ」彼は、つとめて微笑して見せようとした。はっきりしない足どりで、五、六歩その辺を歩いていた彼は、ふたたび窓のところへもどっていった。そして、目をぼんやりあけながら、言葉の矛盾に気がつかないとでもいうかのように、ふたたびはっきり言いきった。「ぼく、ここで、とても幸福だったんだ……とっても」

そして、時計を出しながら、何か言い出す機会を相手にあたえず、くるりと兄のほうに向き直った。「ぼく、カンメルジンのおやじに兄さんを紹介しなくては。それに、もしいたら、その娘にも。それから昼飯をたべに行こう。ううん、ここでなく、どこかよそへ」彼は、ふたたび暖炉のふたをあけ、まきを詰めながら話しつづけた。「……昔は仕立屋をしていた男なんだ……いまでは市参事会員……それにまた、熱心なサンジカリスト……週刊新聞をこしらえて、ほとんど自分ひとりで書いている……とてもりっぱな人物なんだ」

カンメルジンのじいさんは、暑くてやりきれないほどな書斎の中で、上着を脱ぎ、しきりに校正をやっていた。鼻の上には、長方形をした奇妙な眼鏡。髪の毛のようなしなやかなその金の蔓（つる）が、肉づきのいい、小さな耳のまわりに巻きついていた。子供らしいかげにはなかなか鋭いところがあり、言葉つきのもののしさに似もやらず、動作にとてもひょうきんなところのあった彼は、たえず笑顔を見せていた。そして、眼鏡ごしに、じっと相手の目をみつめていた。彼は、ビールを持ってこさせた。

そして、アントワーヌのことを《旦那》と呼んだ。だが、しばらくすると、やがてそれは《きみ》に変わってしまった。

ジャックは、冷然として、父の容態がよくないため《しばらく》留守にしなければならないこと、今夜すぐに出かけるけれど、部屋はそのまま借りておくこと、今月分の部屋代は払っておこうし、《いろんな荷物》もそのままにしておくことを話してきかせた。アントワーヌは、顔筋ひとつ動かさなかった。

老人は、自分の前の紙片をふりまわしながら、《党》の新聞のための合同印刷所の計画について、それからそれへと、思いつくままを話しはじめた。ジャックは、どうやらそれに興味を持っているらしく、何かと相づちを打っていた。アントワーヌは、ふたりの話に耳を澄ましていた。ジャックは、べつにふたりきりになることを急いでいるようにも見えなかった。では、誰か待っていて、その相手があらわれないとでもいうのだろうか。

やがてのことに、ジャックは出かけようと手まねで知らせた。

八

外へ出ると、鋭い北風が吹きたっていて、溶けた雪を吹きはなっていた。

「雪が散る」と、ジャックが言った。

彼は、無口でいないようにとつとめていた。ひとつの公共建造物にそった広い石段をおりていきながら、彼は進んでそれが大学であると説明してくれた。そうした言葉のちょうしをとおして、そこに自分の愛する町にたいする、いささか得意そうな気持ちがうかがわれた。アントワーヌは賛嘆した。だが、つぎつぎとさっと吹きおろす雨と雪とにはたかれながら、ふたりは急いでどこかへ身を隠さなければならなかった。

自転車乗りや歩行の人たちの足跡のついている狭いふた筋の町のかど、ジャックは、ガラス戸をはめた一軒の店のほうへ向かって行った。看板らしいものといっては、入口のガラス戸の上、白い大文字で、

GASTRONOMICA（美食軒）

と、あるだけだった。

部屋には古い樫の羽目板が張られていて、それらはすべて蠟びきされていた。主人というのは、でっぷりふとった男、元気で、多血質で、せいせい息を切らしながら、自分自身にも、自分の健康にも、自分の店の使用人にも、自分のところの献立にも、すべてに満足しきっていて、お客さまがたを、ま

るでふいに飛びこんできた招待客ででもあるかのようにうやうやしくもてなしていた。壁の上には、ゴチック文字でいろいろ言葉が書き散らされていた。《ガストロノミカ。わが家の料理は、化学にあらず！》あるいは《ガストロノミカ。皿小鉢、塵をとどめず！》

カンメルジンにあい、また雨の中を歩いてきてから、ジャックは、どうやら気持ちがだいぶくつろいだらしく、もの珍しそうな兄をながめながら、うれしそうな微笑をもらしていた。こうした外界のものにたいするアントワーヌの好奇心、むさぼるようなその眼差し、ちょっと変わったものがあると、さっと行きずりにそれをとらえ、しげしげそれをながめるようす、ジャックは、それらをかなり思いがけないものに思った。かつてふたりが、カルティエ・ラタンでおりおり昼食を共にしたとき、アントワーヌは、なにひとつ目をとめようとせず、まず、自分の前にある水さしに、医学雑誌といったようなものを立てかけるのを常とした。

アントワーヌは、ジャックが自分を見まもっているのに気がついた。そして、

「どうだ、おれは変わったかね？」と、たずねてみた。

相手は、あいまいな身ぶりをした。そうだ、アントワーヌは変わった、とても変わったように思われる。だが、どうしたところが変わったのか？　それはあるいは、この三年間、ジャックが、いろいろな兄の特徴を忘れたからではなかったろうか？　いま彼は、それらをひとつひとつ思いだしてみた。時をおいて、アントワーヌのこれこれの動作――ちょっと肩を揺りあげるところ、まばたきするところ、なにか説明しようとして手をひらくところ――それらは、昔よく知っていたあとで、ぜんぜん記

憶から消えていた印象とでもいったように、とつぜん彼の心を打ったのだった。それでいていっぽうでは、なにひとつ思いだせないいくつかの変わっている点が気にかかった。顔や態度の全体的な表情、いかにも自然なこの落ちつき、いかにもおだやかなこの態度、なんら粗暴のかげのないこの眼差し。それらすべて、ぜんぜん目新しいものだった。彼は、はっきりしない言いまわしで、そのことを言葉に出してみた。アントワーヌは微笑した。彼にはそれが、ラシェルの置きみやげであることがわかっていた。何カ月かのあいだ勝ち誇っていた恋愛のおかげで、それまでどんな幸福の呼びかけをも受け入れようとしなかった彼の顔には、何かしら楽天的な安心の影、特権者たる恋人の満足とでもいったようなもののかげがしっかり刻まれ——それがそのまま、すっかり消え去らずにいたのだった。

昼食はよかった。さわやかな、軽い、冷たいビール。部屋もなかなか気持ちがよかった。アントワーヌは、きげんよく、この土地の珍味に驚いてみせた。彼は、この方面の話となると、弟がわりあい口をひらくことを見てとっていた。(もっとも、ジャックが口をひらくたびに、それはさも、しかたなしに話をするとでもいうようだった。ためらいがちな、句切りの短いその言葉は、往々なんというわけもなしに、急に乱れがちなものになり、はげしくふるえをおびるとともに急に黙りこんだりするのだった。そして、おしゃべりをしながら、じっと兄の目を見つめている。)

「ちがうさ、兄さん!」と、彼は兄が何か警句めいたものを飛ばしたのにたいして言い返した。「それはちがう……そんなことは言えやしない、このスイスで……なにしろぼくは、ずいぶんたくさんの国を見てきたんだ。そうだ、ぼくは保証する……」

思わずもアントワーヌの顔にうかんだ好奇心に気づいた彼は、そのまま口をつぐんでしまった。そして、われとわが気むずかしさを悔やんだためか、やがて自分のほうから言葉をつづけた。

「そら、あの男、あれなんかたしかに典型的だと言えると思うな。あのつれのない紳士、右のほうで、主人と何か話している……スイス人全般を、かなりよくあらわしているタイプなんだ。顔だちといい、着物といい……それに口のききかたなんか……」

「かぜひきみたいなあの声がか?」

「ちがう」と、ジャックは、潔癖らしくまゆをよせながら訂正した。「力のこもった、すこしひっぱったような話しかた。あれには反省がうかがえる。だが、とりわけ、そら、自分自身のうえにうつむきこんでいるようなあのようす、どんなことがおこっても、無関心といったあのようす、あれこそまったくスイス的だ。それにまた、どこにいても、安心しきっているようなあのようす……」

「利口そうな目をしている」と、アントワーヌは一歩を譲った。「だが、おどろくほど、生気に欠けてる」

「そう、ローザンヌでは、何千という人間がみんなあれだ。朝から晩まで、押しあいもせず、といって一分たりともむだにせず、自分のなすべきことをやっている。他人の生活に接触しながら、それに立ち入ろうとしないんだ。ほとんど自分自身の国境から一歩も踏み出さない。そして、現在の仕事、ないしこれからすぐにしなければならない仕事に、一生いつもしばられている」

アントワーヌは、口だしをせずに聞いていた。そしてジャックは、こうして聞いてもらっていることにいささか気おくれを感じながらも、いっぽうそれにはげまされ、心ひそかにえらくなりでもしたように、つい口数が多くなった。

「兄さんは《生気》と言ったな……」と、彼は言った。「誰でもが、みんなスイス人を鈍重であると思っている。そう言ってしまうことはきわめてたやすい。だがそれは嘘だ。彼らの気質はちがっている……兄さんなんかと。おそらくもっと重厚なんだ。そして、事にあたっては、あるいはおなじ程度に柔軟にもなるだろう……鈍重とは断じてちがう。堅実なんだ。それとこれとはぜったいちがう」

「じつは驚いたんだが」と、アントワーヌは、ポケットからタバコを出しながら言った。「きみは、よくもこんなごちゃごちゃしたところで平気で暮らしていられるな……」

「そこなんだ！」と、ジャックはさけんだ。彼は、あやうくひっくりかえしかけたから茶碗をわきへよせた。「ぼくはいたるところで暮らしてきた。イタリア、ドイツ、オーストリア……」

アントワーヌは、じっとマッチを見つめたまま、顔をあげずに言ってみた。

「……イギリス……」

「イギリス？　行かなかった。どうしてさ？　イギリスだなんて？」

短い沈黙。そのあいだ、ふたりはたがいにさぐりあった。アントワーヌは、目を伏せたままだった。ジャックはちょっと狼狽したが、それでも話をつづけていった。

「……ところでぼくには、いま言ったようなどこの国にも、けっして落ちつけそうに思われないな。とても仕事なんかできないな！　じりじりしてきてやりきれないんだ！　この土地へ来て、ぼくははじめて落ちつけた……」

事実、そう言ったときの彼は、いかにも落ちつきを得ているようなようすだった。いつもそうしているらしい姿勢——なかば斜めに腰かけながら、髪の重みがそうさせているといったように、言うことをきかない髪の毛のほうへ、ぐっと頭をかしげていた。右肩を前に出し、ひらいた右手をももにしっかり突きながら、その腕に上半身の全部をあずけていた。それに反して、左ひじは軽くテーブルにおき、左手の指では、テーブル・クロースの上に散ったパンのくずをおもちゃにしていた。そうした手にしても、いまでは神経質な、表情をもった、おとなのそれになりきっていた。

彼は、いままでしゃべったことを思いかえしていた。

「ここの人たちは落ちついてる」と、彼はありがたいというようなちょうしで言った。「ああした情熱の欠乏は、もちろん、ただ表面だけのことにすぎない……ほかのどこででもおなじように、情熱は、ここでもちゃんと空気中にある。だが、兄さん、情熱も、毎日毎日しばられてると、たいして危険でなくなってくる……たいした感染性を持たなくなるんだ……」彼は、ふたたび言葉を切り、急に顔を赤らめたと思うと、声を低めて言葉をつづけた。「じつは三年このかた……」

彼は、アントワーヌのほうを見ずに、勢いよく手の甲で髪をかきあげ、居ずまいをかえると黙りこんだ。

打ちあけ話の第一歩か？　アントワーヌは、なんの気ぶりも見せず、やさしい目つきで弟をつつみながら待ちかまえた。

だが、ジャックはきっぱり話をやめた。

「あいかわらず降ってるな」と、立ちあがりながら彼は言った。「家へ帰りましょう。そのほうがいい。ねえ?」

ちょうどふたりがレストランを出ようとしたとき、ふたりの前を通りかかったひとりの自転車乗りの男が、車を飛びおりるとジャックのほうへはせよって来た。

「誰かいましたか?」と、男は、あいさつもせず、息を切らしながらこうたずねた。風に取られまいとして、両腕を胸に組み合わせて押さえている登山用のマントが、雨でぐしょぬれになっていた。

「いや」ジャックは、べつに驚いたようすも見せずにこう答えた。彼には、一軒の家の入口の大戸のひらかれているのが目にはいった。そして「あそこへ行こう」と、言った。そして、アントワーヌが、用心して、少し離れたところにいるらしいのに気がつくと、うしろを向いて兄を呼んだ。だが、いっしょに雨よけの場所にはいりながらも、べつに紹介しようとしなかった。

男は、首をひと振りしたかと思うと、目の上までかぶさっていた外套のずきんを肩に落とした。三十すぎた男だった。とっつきはいささか荒っぽかったが、その目はやさしく、ほとんど甘ったれてでもいるようだった。冷たい外気で赤くなった顔の上には、ひとすじの古い傷痕がついていた。それは、そこのところだけ血の気をなくさせ、右の目をなかば閉じさせ、まゆげをはすかいに切りさいてさらに帽子のかげへ走り入っていた。

「やつら、なんとかかんとかおれのことを言ってるんだ」と、男は、そばにアントワーヌのいるのも忘れたように、熱に浮かされたような声で言った。「なあ、おれはそんなこと言われるようなことをしただろうか？」彼は、ジャックがどう言うか、それに特別の注意を払っているらしかった。ジャックは、もっともだといったようすをした。「やつらいったいどうしようっていうんだ？　裏切り者だって言ってやがる。いったいそれがおれのせいか？　やつら、いまは遠くにいってることだし、自分たちのやっつけられないことだけは知ってるんだ」

《そんなからくりがうまくいってたまるもんか》と、ジャックは、考えたあとで言った。「つまり、ふたつにひとつだ……」

「そうだ、それなんだ！」と、相手は、思いがけない感謝と熱意をこめながら、待ちきれなかったような声をあげた。「だが、それまでに、政治新聞にこっちがやっつけられないようにしなければ」

「なにかかぎつけるが早いか、サバーキンのやつ姿を消すぞ」と、ジャックは、声をひそめながら、ささやくように言った。「それにビッソンも。見てるがいい」

「ビッソンも？　おそらくね」

「ところで、ピストルの件はどうした？」

「なあに、たいしたことはない。証明はわけはないさ。あれのまえの恋人が、バーゼルで、死んだ兵器商の売り立てで買ったと、そういうことにしておくんだ」

「なあ、レイエ」とジャックが言った。「しばらくのあいだ、ぼくをあてにしないでいてもらいたい。これからしばらく、ここから手紙が出せなくなるんだから。そのかわり、リチャードレーのところへ行ってもらおう。書類を渡してもらうんだ。ぼくのかわりだと、そう言って。署名の必要があるようだったら、マック・ラエールさんとこへ電話をかけるようにって。わかったな？」

レイエはジャックの手をとって、なにも言わずにそれを握った。

「ルットは？」と、手を握ったままでジャックが言った。

相手は、首をうなだれた。

「だめなんだ」と、彼は臆病らしく笑いながら答えた。そして、目をあげて、はげしい声でくり返した。「だめなんだ。おれはあいつが好きなんだ」

ジャックは、レイエの手を放した。それから、ちょっと黙ったあとで、つぶやくように言った。

「いったい、ふたりはどうするんだ？」

レイエはためいきをついた。

「お産があまり重すぎたんだ。元のからだにはかえれないな。どっちみち、働くまでにはいくまいさ……」

ジャックは、言葉をはさんだ。

「ところがぼくには、こんなことを言ってたぞ。《あたしに勇気がありさえしたら、ちゃんときまりをつけるんだけれど》って」

「そうら。だから、このおれにはなんともしようがないんだ」

「だが、シュネバックは？」

男は、おびやかすような身ぶりをした。憎悪の光がその目に燃えた。友だちとしての、だが、しっかりした、ほとんど命令的な力でもって。

ジャックは、手をさし伸べて、レイエの腕にそれをおいた。

「きみはいったいどうするんだ、レイエ？」ジャックは、厳とした声でくり返した。

相手は、おこったようすで肩を揺すった。ジャックはその手をひっこめた。ちょっと沈黙していたあとで、レイエは、おごそかなようすで手をあげた。

「おれたちにとっても、彼らにとっても、結局最後に死があるばかりだ。これだけははっきり言いきれるんだ」と、彼は、低い声で結論をくだした。そして、さもこれから言うことが、明々白々たる事実ででもあるかのように、静かに笑いをうかべてみせた。「そうでなけりゃ、生きてるやつが死人どうぜん、そして死んでるやつが、じつは生きてることになるんだ……」

彼は、自転車のサドルをひっつかむと、車を片方の腕で持ちあげた。傷痕が、紫がかって隆起した。それから彼は、カグール（僧侶のずきん付きそでなし外套）のようにマントのずきんをおろすと、ジャックにその手をさし伸べた。

「ありがとう。リチャードレーのところへ行ってみよう。きみは、りっぱな、まっとうな、実に見あげた人物だ」その声は、ふたたび、信頼にみちた、うれしそうなちょうしにかえっていった。「ボーチー、きみにあってるだけで、おれは世間——人間とも、文学とも……そうだ、新聞のやつとさえも和解できるような気持ちになる……じゃ、失敬！」

アントワーヌには、ふたりが話しているあいだ、なにひとつ言っていることがわからなかった。だが、そのひと言、ひとつの身ぶりさえも見のがさなかった。彼は、最初から、その男が、ジャックよりずっと年長でありながら、しかも、ジャックのほうが年長者ででもあるかのような、なにかしら親しみのこもった尊敬の態度を見せているのに気づいていた。だが、応答のあいだ、彼が驚き、あっけにとられてしまったのは、ジャックの愛想のいい顔つき、その、なごんだ、考え深そうなひたい、重厚な眼差し、全身から発散する思いがけない威厳だった。そこには、アントワーヌを、まさにはっと思わせるものがあった。すなわち、この何分かのあいだに、彼はわが目の前に、自分のぜったい知らなかったジャック、これまで少しもそれに気のつかなかったジャック、それでいながら、すべての人々にとり、疑いもなく真のジャック、今日のジャックにちがいないものを見せつけられた感じだった。

レイエは、ふたたび自転車にまたがっていた。そして、アントワーヌへのあいさつも忘れて、両側に泥をはねとばしながら走り去った。

九

兄弟は、ふたたび道をつづけたが、ジャックはいまの出会いについてはなにひとつ説明しようとしなかった。それに、風はふたりの着物に吹きこみ、とりわけアントワーヌのかさにはげしく吹きつけ、とても話などできなかった。

だが、最悪の時期、すなわちふたりがリポンヌ広場にさしかかったとき――そこは広々した遊歩場になっていて、空から吹きおろす風のすべてがそこで戦ってでもいるようだった――ジャックは、はたきつける雨をものともせず、とつぜん歩みをゆるめながらたずねた。

「さっき、食事をしながら、なぜ兄さん……イギリスってきいたんだ?」

アントワーヌは、そこになにかしらいどみかかるような底意をかぎつけた。彼は、当惑して、なんとかあいまいな返事をした。

だが、それも風にさらわれてしまった。

「え?」と、聞きとれなかったジャックがたずねた。彼は、そばへよってきながら、風よけのためといったように肩を突き出し、からだをはすにして歩いていた。じっと兄のうえにそそいだ目の中には、はげしい執拗さが見られていた。追いつめられたアントワーヌは、嘘をつくことがはばかられた。「うん、そのなにさ……その……紅ばらがとどいたんだ!」と、彼はすっかり話してしまった。

そうした言葉のちょうしには、自分でも考えなかったほどのけわしさがこもっていた。心の中には、あのジウゼッペとアネッタの不倫な情欲、草の中に倒れたときのこと、そのほか一連の幻想が、ふたたびまざまざと思い浮かんだ。彼はいま、それにすっかりなれていたが、それでいて、そのつらさには変わりなかった。彼は、不愉快になり、いらいらしながら、こうまでしぶとい吹き降りに腹をたて、なにやら罵詈の言葉をはき出すが早いか、憤然としてかさをすぼめた。

ジャックは、一瞬、ぼうぜんとして立ちつくした。こうした返事をきかされようとは夢にも思わなかったにちがいなかった。彼は、唇をかんだ。そしてひとこともいわずに、なおいく足か歩きつづけた。(いままでに何度、自分にもわからないああした弱い気持ちになったことをなさけなく思い、遠くからひとりの友人にたのんで買わせたばらの花かごのことを後悔していたことだろう——それは、みずからの立場をわるくするような消息、家の者たちから死んでしまったものと思われたいと考えながら、かえって《ぼくは生きてるぞ。ぼくはおまえのことを思ってるぞ》と、宣言したようなものではなかったろうか! だが少なくもこの日まで、彼は、そうした不注意な行為が、ぜんぜん人にわからずにいたものと思っていた。思いがけない、また理解できないジゼールのはしたなさ、彼にはそれが腹だたしかった。)彼はいま、その苦しさにたえられなかった。

「兄さん、あなたは自分の天分をまちがえてたんだ」と彼は、冷笑を浮かべながら言った。「あなたは、探偵になりに生まれたんだ！」

アントワーヌは、そうしたちょうしにむっとして、たちまちこれに向かってやりかえした。

「それほど私生活を隠したいなら、公然と雑誌に書いたりしなければいいんだ！」

ジャックはぐっと急所をやられて、今度はまっこうからわめき立てた。

「そうか、では、ぼくの作品を読んで、それで花を送ったわけがわかったっていうのか？」

アントワーヌは、もはやがまんができなかった。

「ちがう」彼は平静をよそおい、皮肉なちょうしで一語一語はっきり言葉をくぎりながら言った。「だが、少なくもあの作品によって、花を送った意味の全部をわからせてもらえた！」こう一気に言ってのけると、敢然と風にさからいながら足を早めた。

だが、彼はすぐに、とりかえしのつかないあやまちをおかしたことを感じた。そして、息がつまるような気持ちだった。四言五言しゃべりすぎたため、すべてをだいなしにしてしまったのだ。ジャックは、永久に、自分の手からのがれてしまうだろう……自分としたことが、なんでとつぜんとりみだして、あんなにかっとしたのだろう？　それがジゼールのことだったからか？　こうなった以上、どうした処置を取ったものか？　言いわけをするか？　あやまるか？　まにあうかな？　彼はいま、どんな償いでもしたいような気持ちになっていた！……

彼は、弟のほうをふり向き、できるだけやさしい態度で、自分の悪かったことを詫びようとした。おりもおり、彼は、ジャックがとつぜん自分の腕をつかみ、全身の力をこめて身をよせるのを感じた。

熱情的な、まったく予想していなかったこの緊迫。興奮した、兄弟としてのこの抱きしめ。それはたちまち、単にあのはげしい言葉のやりとりだけでなく、別れていた三年間のあらゆる沈黙をも解消させた。彼の耳近く、ふるえる口が、うわずった声でつぶやいた。

「兄さん、どうしたんだ？　なにを考えてたんだ？　兄さんはジゼールが……ぼくが……？　そんなことがあり得ると思う？……ばかばかしい」

ふたりは、じっと目を見あった。ジャックは、苦しそうな目をしていた。それでいて、それは澄みきっていて若々しく、顔のうえには、わが身の潔白を傷つけられた気持ちが、苦しさと同時に恨みの色を見せていた。それは、アントワーヌにとって、わが身をすくう光の波とでもいうようだった。彼は、はればれとした気持ちで弟の腕をだいた。いったい自分は、若いふたりのあいだを疑ってでもいたのだろうか？　いまとなっては、何がなんだかわからなかった。彼ははげしい感激とともにジゼールのことを思った。いま心は軽く、とき放たれて、とつぜん、このうえもなく幸福になれた気持ちだった。ふたたび弟を見いだせたのだ。

ジャックは黙りこんでいた。彼の目の前には、ただ苦しい思い出だけがつづいていた。あのメーゾン・ラフィットでの一夜——ジゼールとの恋を知ると同時に、彼女がかき立ててくれた肉体的なはげしい魅力を見いだした晩のこと。宵やみの中、菩提樹のかげでかわした短い、あわただしいキスのこと。おどおどした愛の誓いのかわされたところに、ジゼールがばらの花びらを散らした、あのときのロマンチックなもののごしなど……

アントワーヌも、黙りこんでいた。彼は、沈黙を破りたいと思った。だが、心臆するままに黙りこんでいた。相手の腕をだきしめた彼は、せめてこう言ってやりたかった。《そうだ、おればばかだった、おれはおまえを信じている。ああ、おれはじつに幸福なんだ》と。相手も、彼の腕をだきかえした。ふたりはいま、言葉以上にわかっていた。

ふたりは、雨の中をからだをよせあい、あまりにもなごんだ、あまりにも長い触れあいの結果わくわくしながら、歩きつづけていった。ふたりは、どちらからも、からだをはなす気になれなかった。ちょうどそのとき、ふたりは、風よけになっている土塀にそって歩いていた。アントワーヌはかさをひろげた。そしてふたりは、ただ雨よけのため、たがいによりそっているのだというように見せかけた。

ふたりは、ひとことも言葉をかわさず、下宿までたどりついた。だが、アントワーヌは、戸口のところで立ちどまると、腕をとき、きわめて自然なちょうしでこう言った。

「ところで、今夜までにいろいろしなければならないことがあるんだろう? 別れようか? おれは町を見物に行ってくるから……」

「こんな天気に?」と、ジャックが言った。彼は微笑を浮かべていた。だがアントワーヌは、ちょっとしたためらいの影を見のがさなかった。(じつを言えば、ふたりは、この長い午後をずっとさし向かいでいることをおそれていた。)「そう」と、彼は答えた。「二、三本手紙を書かなければならない。それが二十分。そして、たぶん五時まえにちょっと用たしに行かなければならない」こうした予定は、彼の顔になにか暗い影を投げかけたように思われた。それにもかかわらず、彼はぐっとそり身になって、「それまでは暇なんだ。あがろう」

留守のあいだに、部屋はちゃんとそうじができていた。ストーヴには、新しく石炭が入れられて、ごうごう鳴っていた。ふたりは、ついいましがたからの親しい気持ちで助け合いながら、火の前に、たがいのぬれた外套をひろげた。

窓のひとつが、あけ放しになっていた。アントワーヌはそばへよった。湖水のほうへ下がっていっている見わたすかぎりの屋根の中に、いくつもの小塔にかざられた大きな塔が浮かびあがっていた。そして、その緑青色をした高い矢が、雨の中で光っていた。彼は、それを指して見せた。

「サン・フランソワ寺院だ」と、ジャックが言った。「大時計が見える?」

鐘楼のひとつの面には、赤っぽい、金色をした文字板が輝いていた。

「二時十五分」

「兄さんはいいな。ぼくの視力はとても衰えてるんだ。しかも、頭痛がして、どうしても眼鏡になじめない」

「頭痛?」と、アントワーヌはドアをしめながらたずねた。そして、くるりとふりかえった。その詰問するような顔を見て、ジャックは微笑した。

「そうなんだ、ドクトル。とてもえらい頭痛だった。しかも、まだすっかりはよくなってない」

「どういう頭痛だ？」

「ここのところが痛いんだ」

「いつも左か？」

「ううん……」

「めまいは？　耳のほうにはさわりがない？」

「だいじょうぶ」と、ジャックが答えた。彼には、こうした会話が、そろそろうるさくなりだしていた。「いまではだいぶよくなりかけてる」

「待て待て！」とアントワーヌは、じょうだんでなしに宣言した。「こいつは本気で診察しないといけないぞ。消化現象をちょっと調べてみなくては……」

もちろんすぐ診察するつもりではなかったが、彼は、機械的にひと足ジャックのほうへ歩みよった。するとジャックは、思わずひきさがるようなようすを見せた。彼は、人に世話をされるという習慣を失ってしまっていた。ちょっとしたことを注意されても、自分の独立を侵されたように思うのだった。だが、彼は、ほとんどすぐに思い返した。さらに、しばらくすると、そうした心づくしによって、なにかたのしい気持ちにさせられ、心の中に、ほのぬくい微風でも吹きわたり、長いことしびれていた気持ちがひたされでもしたような気持ちになった。

「まえにはそんなことはなかったな」と、ひきつづきアントワーヌがたずねた。「どうしてそんなになったんだ？」

ジャックはさっき、ひきさがるようすを見せたことを悔やみながら、なんとかそれに答えようとした。それの説明をしたいと思った。だが、真実を言ってもいいのだろうか？

「ちょっと病気みたいなことをやってからだ……急なやつ……流行性感冒とでもいったやつかな……マラリアかもしれない……ほとんど一月ばかり病院にはいっていた」

「病院って？　どこの？」

「……ガベスの」

「ガベス？　チュニジアのか？」

「うん。高熱に浮かされていたらしいんだ。その後何カ月、とても頭が痛かった」

アントワーヌはなにも言わなかった。だが、明らかに、こう考えているらしかった。《パリにはちゃんとした家庭があり、兄も医者でありながら、好きこのんでアフリカの病院で死のうなんて……》

「ぼくが死なずにすんだのは」と、話題を転じようとしてジャックが言った。「それは恐ろしさのためだった。つまりああした釜の中みたいなところで死ぬというのがこわかったんだ。ちょうど難船した人間が、いかだの上で、陸地や井戸のことを考えるのとおなじように、ぼくはイタリアのことを思っていた……ぼくの頭には、たったひとつの考えしかなかった。生きても死んでもかまわない、船を見つけてナポリへ渡ろう。ただそのことで一心だった」

ナポリ……アントワーヌは、ルナドーロのこと、シビルのこと、ジウゼッペの入江の上の船遊びのことなどを思いだした。

「ナポリって、どうして？」

ジャックは、さっと顔をあからめた。彼は一瞬、なにか説明しようとしながら自分自身と戦ってでもいるらしかった。つづいて、彼は青い目を見すえた。

アントワーヌは、時をうつさず口を開いた。

「たしかに休息が必要だった。それも、からりとした気候のところで」

「まず」と、ジャックが言った——兄の言葉をきいていなかったことは、これによってもうかがわれた——「ナポリでは、ぼく、領事館のある人にあてた紹介状を持っていた。外国にいると、延期願いもずっと、楽でね。おなじことなら、まあ法律にしたがっといたほうがいいと思った」彼は、ちょっと肩をそびやかして見せた。「もっとも、フランスへ帰って……」

アントワーヌはあとへひかなかった。そして話題を変えた。

「だが、そんな旅行に……おまえ、金を持ってたのか？」

「ばかばかしい！　兄さんの言うことかな？」彼は、両手をポケットに突っこみながら、行ったり来たり歩きはじめた。「ぼくはいつだって、長いこと一文無しでなんか——いるだけの金なしでなんかいたことがないんだ。もちろん、向こうでは、最初のうちは、どんな仕事でもしなければならなかった……」彼はふたたび顔を染めた。そして、その目の力はゆるんでいた。「そう、いく日かは……ひとりだったら、たちまちなんとかなるんだから」

「だって？　どうして？」

「うん……ま、たとえばさ……どこかの徒弟学校でフランス語を教えるとか……夜、クーリエ・チュニジアン社とか、パリ・チュニス社で校正をやるとか……ぼく、フランス語同様イタリア語が楽に書けるから、それがたびたび役に立った……そのうち、記事も書かせてもらえるようになった。あの週刊紙に、新聞記事一覧を出すようになった。それから、消息欄とか、そのほかの仕事とか……そして、それができるようになると、報道記事まで書いたんだ！」彼の目は輝いていた。「ああ、あの仕事。健康さえゆるせば、いまでもやってたにちがいない！……なんていう生活！……いまでも覚えてる、ヴィテルブでのことだった……（兄さん、掛けないか。ぼくはいい。僕はむしろ歩いてたほうがいいんだから）……ぼくは、誰も行き手がないので、ヴィテルブへ行かされた。ほら、例のものすごいララカモラ事件の裁判のためだ。一九一一年の三月だった……なんていう大仕事！　ぼくはナポリクラブに泊まりこんだ。文字どおりの梁山泊さ。ところが、十三日から十四日にかけての晩、みんなはすっかりひきあげちゃった。警官隊が来たときには、ぼくは寝ていた。ぼくのほかには誰もいない。いやおうなしに……」彼は、アントワーヌが注意して聞いてるにもかかわらず――途中で話をやめてしまった。いや、あるいはそのためにやめたのかもしれなかった。何カ月にわたる目のくらむような生活、そんな話をしたところで、どうしてその一端だけでもわかってもらえるだろう！　せき立てるような兄の眼差しにもかかわらず、彼はそっぽをむいてしまった。「ああ、みんな昔のことなんだ！もうよそう……考えるのはやめにしよう」

彼は、こうした思い出の呪縛からのがれたいと思って、つとめて落ちつきをとりもどして言葉をつづけた。

「兄さんはなんて言いかけてたっけ……頭痛? そうだった、ぼくにはイタリアの春がなんとしてもたまらなかった。ぼくは、それができるようになったとき、からだが自由になったとき――」こう言いながら、まゆをしかめた。おそらく、またもや不愉快な思い出に当面したからにちがいなかった――「そうしたすべてのものからのがれられることになったとき、すぐに」と、はげしく腕をふりまわしながら言った。「北へ向かって出かけたんだ」

彼は、両手をポケットに突っこみ、目をストーヴにそそいで立ちどまった。

アントワーヌはたずねた。

「イタリアの北のほうか?」

「いや!」ジャックは、飛びあがるようにしてこうさけんだ。「ウィーン、ペスト……それからザクセン、ドレスデン。そしてまたミュンヘン」とつぜん彼は顔を曇らせた。今度は、兄のほうへ鋭い一瞥をそそぎながら、心からためらっているようなようすだった。その唇はふるえていた。だが、わずか何秒の時がすぎると、唇を引きしめ、つぶやくようになにか言った。だが、堅く食いしばった歯のあいだから、わずかに最後の言葉だけが聞きとれた。

「ああ、ミューニッヒ……ミューニッヒも、たしかに……お――そ――ろ――しい都会なんだ」

アントワーヌは、それをあわただしくさえぎった。

「なんにしてもきみ……原因を見つけないと……頭痛といったって、それは病気じゃない。それはなにかの徴候なんだぜ……」

ジャックは聞いていなかった。そして、アントワーヌのほうでも口をつぐんだ。これまでにもいく度か、おなじようなことがおこった。ジャックはたしかに、なにかたまらない秘密を、自分から放逐したいと思っているらしい。唇だけは動いていた。も少しのところで打ちあけようとしかけていた。だがとつぜん、言葉が咽喉でつまったように、そのままきっと口をつぐむのだった。そのたびごとに、アントワーヌは、なにか愚かしい危惧を感じて、その障害を弟に乗り越えさせてやるかわりに、自分のほうが棒立ちになり、立ちすくんでしまい、前後の思慮もなく、いきあたりばったりに話を進めるというふうだった。

彼は、どうしたらジャックを元の話に引きもどしてやれるだろうかと考えていた。ちょうどそのとき、軽い足音が廊下に聞こえた。誰かが戸をたたく。ほとんど同時に、戸が細めにあけられて、アントワーヌには、髪をふり乱した、少年らしい顔が目にはいった。

「あ、失礼。お話中ですか?」

「はいりたまえ」と、ジャックは、戸のほうへ歩きながら言った。

それはぜったいに子供とは言えなかった。あごは青々とそられ、顔は白っぽく、そしてかわいた麻色の髪をふり乱している、年のはっきりしないひとりの小柄な男だった。彼は、しきいのところでためらい、アントワーヌのほうへ不安げな眼差しを送った。だが、目のふちには、深々と白っぽいまつげが生えならんでいて、ひとみの動きも見えなかった。

「ストーヴのそばへきたまえ」と、ジャックは、雨水のたれる外套を脱がしながら言った。

彼は、今度もまた、兄を紹介しない腹らしかった。それでいて、いかにも屈託なさそうな微笑を浮かべていた。そして、アントワーヌがいても、べつに困るようすも見えなかった。

「ミトエルクの来たことをお知らせにきたんですが。手紙を持ってきたんです」と、その男は説明した。声は、細く、せわしなかった。だが、ちょうしはきわめて低く、ほとんどなにかを恐れてでもいるようだった。

「手紙？」

「ヴラジミル・クニャブロウスキーからの！」

「クニャブロウスキーから？」と、ジャックは声をあげた。そして顔を輝かした。「かけたまえ。ずいぶん疲れているようだ。ビールはどうだね？　お茶は？」

「いや、たくさんです。なにもほしくないんです。ミトエルクは昨夜やってきました。あっちからやってきたんです……で、わたしはどうしたらいいんでしょう？　どうしたらいいと思います？　やってみますか？」

ジャックは、かなり長いこと考えこんでいてから、ようやく返事をした。

「そう。いまとなっては、そうするよりほかにわかりようはないいな」

相手の男は興奮した。

「万歳！　そうくるだろうと思ってました！　イニャスのやつには、がっかりさせられました。そして、シュヴァノンにも。だが、あんたは、あんただけは！　万歳だ！」彼は、ずっとジャックのほうを向いていた。そして、小さな顔を、信頼の気持ちで輝かしていた。

「ただし……」と、ジャックは、指を一本立てて見せながら、厳としたちょうしで言った。

白子の男は、承知したしるしに合点合点をしてみせた。

「手やわらかにやります、手やわらかに」と、彼は重々しく言った。きゃしゃなからだでいながらそこには、鉄のような執念深さがうかがわれた。

ジャックは、男をじっと見まもっていた。

「きみ病気じゃなかったの、ヴァンネード君？」

「いいえ……ちょっと疲れただけなんです」そして、いじわるそうな微笑を浮かべながらつけ加えた。「どうもああした大屋台の暮らしがしんぼうできなくって！」

「プレゼルはまだいるのかね？」

「はあ」

「それからキルーフは？　おれからだと言って、キルーフに、少ししゃべりすぎるぞと言ってもらおう。ええ？　あいつはわかってくれるんだ」

「キルーフには、わたしもきっぱり言ってやりました。《きみたち、まるで恥知らずといったやりかただ！》って。やつは、ローザンガールの宣言を、読みもしないで破り捨てました！　あそこのやつらときたら、はしからはしまで腐ってまさあ」彼は、うめくような、怒りをこめた声で、「はしからはしまで腐ってまさあ」と、くり返した。だが、同時に、清らかな寛容をしめす微笑のかげが少女のような唇を輝かした。

彼はふたたび、鋭い、口笛を吹くような声で言いつづけた。

「サフリオ！　テュルゼー！　パタースン！　誰も彼もが！　シュザンヌさえも！　誰も彼もが腐ってやがる！」

ジャックは首を振った。

「ジョゼファはそうかもしれない。だがシュザンヌはちがうぜ。ジョゼファは、たしかになさけない女だ。あいつはみんなを仲間割れさせるぜ」

ヴァンネードは、なにも言わずに彼を見まもっていた。彼は、小さなひざの上に、人形のような両手を動かしていた。そして、人形のような、きゃしゃな色つやのわるい手首を見せていた。

「知ってます。といってどうなんです？　いまさら突き落としてやれますか？　あんたにそれができますか？　そうしてやっていいんですか？　なにしろあいつも人間でさ。しかも、心から悪いというんじゃなし……たまたまわたしたちから目をつけられたっていうだけでさ。で？……つまり手やわらかにやるんですな、手やわらかに……」彼はためいきをついた。「いままでにだって、ああした女はずいぶんいました！……すみからすみまで腐ってやがる」

彼はふたたびためいきをつき、相手にわからないようにアントワーヌのほうを見てから立ちあがった。そして、ジャックに近づくと、とつぜん興奮をみせてこう言った。

「ヴラジミル・クニャブロウスキーの手紙って、それはすてきな手紙ですぜ……」

「で」と、ジャックがたずねた。「彼はどうしようっていうんだね？」

「養生でさあ。女房や、母親や、子供たちにもあいました。も一度、生きてみようっていうんでさ」

ヴァンネードは、ストーヴの前を歩きはじめていた。おりおり、神経的に両方の手を握りあわせていた。そして、さも自分自身に聞かせるように、思いこんだ表情で言った。

「クニャブロウスキー、きれいな気持ちの男だなあ」

「とても心のきれいな男だ」と、ジャックはすぐに、おなじちょうしでくり返した。

彼は、ちょっと黙っていたあとで言いつづけた。

「本はいつごろ出すつもりだ？」

「なんとも言ってませんでした」

「リュスキノフの話によると、革命的な本ということだったが」

「いきおいそうなることでしょう。なにしろ刑務所の中ですっかり書いたというんですから！」そう言いながら、いく足か前へ進み出た。「きょうは手紙を持ってきませんでした。クラノに持って行かせようと思ってオルガに渡しておいたので。今夜手もとに返ってきます」彼は、ジャックのほうを見ずに、まるできつね火といったように、ふらふら顔を高くあげながら行ったり来たり歩きまわっていた。まるで放心してでもいるようだった。「ヴラジミルは言ってました。刑務所にはいってたときほど、ほんとの自分自身になりきれたことはなかった、って。つまり、自分の孤独と面壁でさ」声は、だんだん音楽的になっていった。だが、同時に、だんだんぼやけたものになっていった。「彼の話によると、監房はきれいで、とても明るくて、建物のぐっと上のほうにあったそうです。そして、彼はベッドの板の上にあがっては、ひたいを格子張りの窓の下まで届かせ、そうしたままで、何時間も何時間も、空に巻く雲のかたまりをみながら、考えつづけていたんですって。ほかにはなんにも見えなかったそうです。屋根も、こずえも、何から何まで。だが、春になり、それから夏のあいだ、午後の終わりの一時間だけ、少しばかり日の光があたるのでした。その時のくるのを、日がな一日待ったということでした。手紙に書いてあるんです。一度は、遠くのほうに、小さな子供の泣き声が聞こえたということでした……またあるときは、大砲の音が聞こえたそうです……」ヴァンネードは、耳を澄ましながら、自分をもの珍しげな目つきで追っているアントワーヌのほうへ一瞥をあたえた。「なにしろあした、手紙をそっくり持って来まさあ」と、彼は、腰をおろしに来ながら言った。

「あしたはだめだ」と、ジャックが言った。「ぼくはあしたいない」

ヴァンネードは、少しも驚いたふうを見せなかった。だが、またアントワーヌのほうを向き直り、ちょっと短い間をおいて、ふたたび椅子から立ちあがった。

「失礼しました。じゃましちゃって。ヴラジミルのたよりをすぐにお聞かせしたかったんで」

ジャックもおなじく立っていた。

「きみはこのごろ働きすぎるぜ。からだをいたわらなくっちゃ」

「とんでもない」

「あいかわらずションベルク・アンド・リット商会で働いてる？」

「あいかわらずね」彼は、皮肉そうにほほえんでみせた。「タイプライターをたたくんですよ。朝から晩まで《ウイ・ムシュー！》（英語で言えばイエス・サー）そしてタイプをたたくんでさ。なんともばかげた話なんで。夕方になると、はじめて自分をとりもどす。夜中よっぴて、あくる朝まで、どんなに《ノン・ムシュー》（いやです、ごめんこうむります、の意）と言ったからって、なんの文句もくいませんや」

ヴァンネードは、小さな頭を昂然とそびえさせていた。そして、乱れた麻のような前髪は、彼に、さらに軒昂たるようすをつけ加えていた。彼はいま、さもアントワーヌにむかってなにか言おうとするように、ちょっとからだを動かした。

「わたしは、ねえおふたかた、十年間というもの、こうした思想のために飢え死にするような目にあってきました。わたしには、思想というものがたいせつでさ」

彼はジャックのそばへより、手をさし出した。そして、その笛を吹くような声はとつぜん乱れた。

「いっておしまいなんですか？……それもしかたがありませんや。わたしは、ここへ来るのをとても楽しみにしていたんですが」

ジャックは感動して、なんとも返事をしなかった。だが彼は、愛のこもった身ぶりで、男の腕の上に手をおいた。アントワーヌは、あの傷痕のある男のことを思いだした。あのときすでに、ジャックぶりをみせていた。彼はたしかに、こうした異様な集団の中にあって、一種特別な位置を持っているように思われた。みんなが彼の意見を求めている。みんなが彼の賛同を求め、彼から非難されることを恐れている。そのうえさらに明らかなことには、みんなが彼のところへ心を暖めにやってくる。

《チボー家の血統だな！……》と、アントワーヌは満足げに考えた。だが、たちまち一抹の悲しい気持ちに襲われた。《ジャックは、パリにいようとはしないだろう》と、彼は思った。《スイスで暮しに帰ってくるにちがいない。たしかにそれにちがいない》彼は《これからは欠かさず文通しよう。あいにもこよう。そうすれば、必ずしもいままでの三年間とおなじじゃあるまい……！》そう考えてみようとした。だが、だめだった。彼は刺すような痛みを胸に感じた。《だが、こうした連中の中での彼の仕事なり生活なり、はたしてどういうものなんだろう？　自分の力を、なんにつかおうというのだろう？　彼のため、おれが夢みていたすばらしい未来は、はたしてこういうものであったのか？》

ジャックは、友の腕をとると、小きざみ足で戸口のほうへ送っていった。そこまで行くと、ヴァンネードはふり返り、おずおずアントワーヌのほうへ頭をさげた。そして踊り場に姿を消した。ジャックも、あとについて出ていった。

アントワーヌの耳には、もう一度最後に、笛を吹くような小さな声が聞こえてきた。

「……すみからすみまで腐ってまさあ……自分たちのそばに、おべっか者や、寝そべった犬みたいなやつしかよせつけないで……」

十

ジャックがもどってきた。彼は、マントをはおった自転車乗りの男にあった時と同様、この男のたずねてきたことについてなんの説明もしなかった。彼は、コップに水をついで、それをいく口かにわけて飲んだ。

アントワーヌは、てれかくしにタバコに火をつけ、立ちあがると、マッチをストーヴの中に捨てに行き、窓へ行ってちらりと外を一瞥すると、ふたたびもどって腰をおろした。

すでに何分かまえから沈黙がつづいていた。ジャックはふたたび部屋の中を歩きはじめていた。

「でも、しかたがなかったんだ」と、彼は、あいかわらず行ったり来たりしつづけながらだしぬけに言った。「兄さん、ぼくをわかってくれなければ！　ぼく、どうして、あんな学校のため、三年間――一生のうちの三年間をささげることができたと思う？」

びっくりしたアントワーヌは、注意ぶかい態度、さきばしりしての和解的な態度に出ていた。

「結局、中学校でのごまかしの延長にすぎないんだ！……」と、ジャックがつづけた。「講義とか、勉強とか、気が遠くなるような注釈とか！　なんでもかんでもたいせつにすること！……それにあの混乱！　息苦しい部屋の中、自習室の中、あらゆる思想はすべて大ざっぱにまとめられ、みんなの足に踏みつけられてる！　受験生どもの言葉づかいだけでもたまらない！　やつらのからくり、監督のやつら！——まっぴらだ、とてもがまんできやしない！——兄さん、ぼくをわかってほしいんだ……ぼくはなにも……もちろんぼくは教師たちを尊敬している……教師という商売、それは正直に、信念を持ったときだけおこなわれるんだ。威厳の点からいっても、精神力の点からいっても、また、その誠実さが報いられることきわめて少ない点からいっても、心を打たれずにはいられない。そうだ、だが……そうだ、兄さんにはぼくが理解できない」と、彼はちょっと間をおいてからつぶやいた。「きちょうめんな生活をのがれるためとか、学校の組織がいやだからというだけではなかった……兄さん、ぼく、あのくだらない生活がいやだったんだ！」彼は、ちょっと言葉を切った。そして、執拗な目つきでじっと床をにらみながら、も一度「くだらない！」と、くり返した。

「だって、ジャリクールにあいに行ったときは」と、アントワーヌがたずねた。「ちゃんと決心していたんじゃないか？……」

「ちがう、ぜんぜん！」彼は、一心に過去を思いだそうとつとめながら、身動きもせず、まゆをあげ、目をじっと床にそそいで突っ立っていた。「ああ、あの年の十月！　ぼくは、メーゾン・ラフィットから、じつに……じつになさけない気持ちで帰ってきた！」彼は、なにか重荷を背負ってでもいるかのように、肩をまるめてみせた。そして、つぶやいた。「どうにもならないことが多すぎたんだ……」

《そう、十月》と、アントワーヌは、ラシェルのことを思いだしていた。

「あのとき、いよいよ入学をまえにひかえ、いっぽう学校の脅威――そうした重荷のまえに立って、ぼくはなんとも言えずこわくなった……ね、じつに妙なんだ！　いまになるとはっきりわかるが、ぼく、ジャリクールをたずねるまでは、ただひじょうにこわいと思っていただけだった。それ以上のものではなかった。もちろん、それらのいろいろなことに疲れきって、学校をよそう、いや、どこかへいってしまおうとさえ考えたことはたびたびあった……そう……でも、それは、ばくとして、実現できないひとつの夢にすぎなかった。ところが、ある晩ジャリクールをたずねたあとで、すべてきまってしまったんだ――驚いた？」ここまで言ってはじめて目をあげた。そして、あっけにとられている兄の顔に一瞥をあたえた。「そうだ、ぼく、その晩、家に帰ってから書いといたものがある。それを見せよう。ついこのあいだ見つけたんだ」

彼は、浮かない顔をして、また歩きだした。あの時の訪問の思い出に、いまも、なお遠くから、心を転倒させられてでもいるようだった。

「あの時のことを思いだすと……」こう言って、首を動かした。「だが兄さん、兄さんは彼とどんな交渉をもったんだ？　あいに行った？　そう？　兄さんの印象は？」

アントワーヌは、あいまいな身ぶりをしただけだった。

「そう」ジャックは、兄の意見があまり好意的でないのを見てとりながら、言葉をつづけた。「兄さんには、ぼくらの時代のものが、彼をどんなふうに見ていたか、わからないだろうと思うんだ！」そして態度を変えながら、アントワーヌの前、ストーヴのそばの安楽椅子にきて腰をおろした。「ジャリクール！」と、彼は急に微笑を浮かべながら言った。その声はやさしかった。彼は、うっとりとしたようすで、火のほうへ足をさしのべた。「兄さん、ぼくらは何年というまえから《ぼくたちジャリクール先生の生徒になる日がきたら……》と言いつづけてきた。いや、《弟子になる日がきたら……》とさえ考えつづけてきた。学校について、なにかためらいの気持ちがおこるごとに、ぼくはいつも《だが、ジャリクール先生がおられる》と、心の中に思ったものだ。ぼくらにとって、価値ある人物として、あの人以外ないように思われていた。わかる？　ぼくらは、あの人の詩を暗記していた。ぼくらは、あの人のふうぼうを口から口へ伝え、あの人の言葉を引用していた。あの人の同僚たちはみんなあの人にやきもちをやいてるといううわさだった。あの人は、単に講義だけではない――しかもその講義にしてさえも、滔々たる叙情的即興で、警抜な観察、わき道にそれたいろいろな話、思いもかけない心境の吐露、赤裸々な言葉などでいっぱいだった――さらにその警句や、老貴族らしい典雅さや、モノクル、勝ち誇ったフェルト・ハットなどまで、堂々大学にみとめさせていた！　感激的で、空想的で、そして何ものにもとらわれない人物。それでいて、豊かで、寛容な人物。偉大な現代の良心。ぼくらから見ると、あらゆる急所に指を触れることを知っている人物！　ぼくは、彼に手紙を出した。そして、彼から五本返事をもらった。ぼくの自慢の種、ぼくにとっての宝物。その五本のうちの三本、いや四本まで、きょう考えてもじつにりっぱなものだった。ところがだ、ある春の朝のこと、十一時ごろ、ぼくたち――ぼくとひとりの友人とが、彼と往来でゆきあった。どうして忘れられよう？　彼は、はずみをつけた大まかな足どりでスフロ町をあがって来た。いまもおぼえている、その風にひるがえるモーニング、明るい色のスパッツ、それに幅広の帽子のつばにかくされていた白髪。しゃんとしたからだつき、あお向きかげんにかけられたモノクル、船のみよしのようなかぎなりの鼻、ゴールふうの白いひげ……まさにくちばしで突っかかろうとする老いたる鷲の横顔だった。渉禽類の血のまじった一羽の猛禽。それにまた、古い貴族といった感じ。忘れようたって忘れられやしない！」

「そのとおり」と、アントワーヌがさけんだ。

「ぼくたちは、家の戸口まであとをつけた。まるで、魔法にかかりでもしたようだった。ぼくたちはほうぼうの店をあるいて彼の写真をさがし求めた！」ジャックは、急に足をひっこめた。「思いだしてもぞっとする！」ついで、前こごみになり、両手をストーヴのほうへさしのべながら、感慨深げにこうつづけた。「だが、ぼくに家出をする勇気が出たのも、じつは、彼のおかげというべきなのだ！」

「だが、当人少しも気がついてはいないらしいぜ」と、アントワーヌが言葉をはさんだ。

ジャックは、耳をかしていなかった。ストーヴのほうを向き、唇に放心したような微笑を浮かべ、夢みるような声で言った。

「話そうか？……こうなんだ。ある晩、晩食をすました後、ぼくは急に彼にあいに行こうと決心した。彼にむかって何から何まで説明しようと思ってなんだ！　そして、ぼくは、ためらいもせず、考えてもみずに出かけたんだ……夜の九時、ぼくはパンテオン広場の彼の家のベルを鳴らした。兄さん、知ってる？　暗い玄関。気のきかないブルターニュ生まれの女中。食堂。すそをひるがえして誰かが奥へ逃げていった。食膳はかたづいていた。だがそこには、裁縫かご、つくろい物の下着類などが散らばっていた。食べ物のにおい、パイプのにおい、ずっしりした暖気。戸があいて、ジャリクール氏があらわれた。スフロ町での《あの老いたる鷲》の面影はどこにも見えない。手紙の主である彼、詩人たる彼、偉大な良心としての彼、これまで知られていたありとあらゆるジャリクール氏とは、似ても似つかない彼なのだった。ぜんぜん！　背をかがめ、モノクルなしで、ふけだらけな古い部屋着、消えたパイプ、陰気な唇をしたジャリクール氏。彼はいましも、キャベツの消化するのを待ちながら、大きな鼻を暖炉であぶり、いびきをかいていたにちがいないのだ！　もし女中によって正式に通じられたら、ぼくはたしかに追っ払われたにちがいない……だが、ふいを襲われ、こうして手もとに飛びこまれて、彼はぼくを書斎の中に招き入れた。ぼくはたちまち興奮した。――《ぼくは先生のところに、うんぬん》……彼は、ぐっと身を起こし、いささか生気をとりもどした。老いたる鷲が、どうやら姿をあらわしかけた。モノクルをかける。椅子をすすめる。老いたる貴族が、どうやら姿をあらわしはじめた。彼は、驚いたようすでこうたずねた。《なに、相談と言われる？》その裏には《では、ほかには誰も相談をする人がないのだな》そうした意味がこもっていた。そうなんだ。ぼくは、一度もそんなことなど考えなかった。だって兄さん、兄さんとは、とても相談できなかった。ぼくは、ほとんどいつも、兄さんの意見にしたがわずにいたんだから……ほかの人たちの意見はもとより……ぼくは、自分ひとりの考えによって動いてきた。ぼくはそうした人間なんだ。ぼくは、ジャリクール氏にそうした意味を答えてやった。こっちの言葉をきいてくれるんだなと思うと、ぼくはとても元気になった。ぼくはすっかりちょうしづいた。——《ぼくは作家になろうと思うんです。偉大な作家になろうと……》ぼくはまず、そのことから言わなければならなかった。彼はまゆげ一本動かさなかった。ぼくは引きつづき、自分の考えを打ちあけた……何から何まで話して聞かせた！　自分自身の中に、ひとつの力、なにかしら自分だけのもの、中心的なもの、このぼく自身のもの、そして、厳として存在を疑うことのできないものが感じられることを！　いままでの何年間、あらゆる教養上の努力のごとき、ほとんどつねにそうした深い価値をそこなう以外、なんの役にもたたなかったことを！　勉強なり、学校なり、博学なり、注釈なり、饒舌なりが、たまらなくいやになったことを。そうしたいやさには、自己防衛、自己保存の本能とでもいったようなはげしいものがこめられていることを。ぼくは、口から出ほうだいにしゃべった！　ぼくは、言った、《先生、ぼくには、そうしたすべてが重荷に思われてなりません。息がつまりそうでなりません。ぼくの真の感激が、そらされるような気がしてなりません》」

ジャックは、たえず変わってやまない眼差しで、じっとアントワーヌを見つめていた。きつい、熱したその眼差しは、一瞬苦しそうな、やさしい、ほとんど甘えるような眼差しに変わりかけていた。

彼はさけんだ。

「兄さん、これほんとうなんだぜ！」

「わかってるさ」

「ああ、これは傲慢心とはちがうんだ」と、ジャックは言葉をつづけた。「人を軽蔑するとか、ふつう一般に野心と言われているような気持ちはぜんぜんない。証拠は、きょうまでの生活！　だが兄さん、ぼくははっきり言っとくが、ぼくはここで完全に幸福だった！」

しばらく黙っていたあとで、アントワーヌが口をはさんだ。

「話をつづけないか。相手はなんと言った？」

「ま、待って。たしか、なんとも答えなかった。そうそう、こうだった。ぼくは話をうち切るために《泉》の中の句をしめしてやった……ぼくがそれを題目にして作りはじめていた、散文詩といったようなもののパラフレーズだ。くだらないものなんだ」と、顔を赤らめて言った。「泉のうちにおけるごとく、われとわが身をかがめ……草をわけ、深きより水ほとばしる、清らなる泉を持たん、とかなんとか……すると、彼は、そこのところで口を出した。――《すばらしい象徴だな……》やつにわかったのはそれだけだった！　にせ物め！　ぼくは彼の目をじっと見てやった。すると、向こうでは、こっちの目をさけている。そして、指輪をおもちゃにしてるんだ……」

「目に見えるようだ」と、アントワーヌが言った。

「……彼は長々とお談義をはじめた。――《ちゃんとできあがっている道を軽蔑しすぎてはいけないな……掟にしたがうことによって得られる利益とか鍛錬とかは、うんぬん……》ああ、彼もまた、ほかのやつらとおんなじだった。彼には、なにも、ぜったい、なにひとつわかっていなかったんだ！　しゃぶり古した思想だけしか与えることができなかったんだ！　ぼくは、わざわざやってきたこと、いろいろしゃべったことが腹だたしかった。彼は、しばらくのあいだ、おなじちょうしで話しつづけていた。彼はただ、ぼくを定義づけるという、それだけのことしか考えずにいるらしかった。そして、こんなことを言ったんだ。あなたの属しておられるのは……あなたぐらいの年かっこうの青年たちは、あなたのようなかたは、こうした部類に組み入れられると思うな……》そこで、ぼくはむっとした。《ぼくは、分類もきらいなら分類家もきらいです！　分類するという名目で、けっきょく制限し、骨抜きにしてしまうんです。そして、人間は、そうした人々の手から出てくるとき、小さくされ、そこなわれ、切り残された部分だけしか与えられません！》彼は、微笑を浮かべていた。すべてを忍ぼうと決心しているらしかった！　そこでぼくはさけんでやった。《先生、ぼくは教師というやつがいやなんです！　だからこそ先生におあいしに来たんです！》彼は、あいかわらず微笑しつづけていた。彼は得意らしいようすをしていた。そして、おあいそうのつもりでいろいろ質問をかけてきた。そのまた愚劣なこと！　いままで何をしましたな？――《ぼくは何もしませんでした！》これから何をしようとお思いかな？――《あらゆることを》――やつには、冷笑するだけの勇気さえなかった。青年に批判されること、それが恐ろしすぎたんだ！　青年がどう思う？　明けても暮れてもこれだった。ぼくがたずねにいってから、ただひとつのことしか考えていなかったんだ。すなわち、彼が当時書きかけていた経験を語るという本のこと。〈その後この本は出ただろう。だが、ぼくはぜったいそんなものは読まないつもりだ！）彼は、この本が失敗することを恐れていた。そして、若い者の影さえ見れば、失敗の妄想に駆られる結果、《こいつ、おれの書物をどう思うかしら？》と、考えずにはいられなかったんだ」

「かわいそうなやつだな！」と、アントワーヌが言った。

「そうなんだ。ぼくも知っている。それはおそらく、悲痛というほどのものだった！　だが、ぼくは、べつに震える彼を見ようと思ってわざわざやってきたわけじゃなかった。ぼくはまだ期待していた。ぼくは、わがジャリクール氏に期待していた。詩人、哲学者、人間、そうしたジャリクール氏のどれでもいい。ただし、いまあるようなものであってはならない！　ぼくは腰をあげた。それこそこっけいな瞬間だった。彼は、追従を口にしながら送ってきた。──《若いかたがたに助言をあたえるというのはなかなかむずかしいものですね……真理には、乗合式がない。人おのおのみずからの真理を求むべきです、等々……》ぼくは、彼の先に立ち、黙ったまま、こちこちになって、逃げるように歩いていった。客間、食堂、玄関、ぼくは暗やみの中を自分で戸をあけて進んでいった。そして、いろいろな古道具に衝突した。彼は、スイッチを見つけるだけのひまさえなかった！」

アントワーヌは、微笑した。彼は、家の間取り、寄せ木の家具、つづれで張った腰掛け、こっとう品のことなどを思いだしていた。だが、ジャックは話をつづけた。そして、その顔には落ちつきのない表情が浮かんでいた。

「そのとき……ちょっと待って……どうしてだったかおぼえていない。逃げ出すわけが、急にのみこめでもしたんだろうか？　ぼくのうしろに、しわがれた声が聞こえたんだ。――《このうえわたしに何を望もうと言われる？　ごらんのとおり、わたしはからっぽだ、もうおしまいの人間なのだ！》ちょうど玄関にかかっていた。ぼくは、あっけにとられてふりかえった。なんという哀れな顔！　彼はくりかえしていた。――《からっぽだ！　おしまいだ！　しかも、なにひとつ仕事といってはしていない！》ぼくは、それはちがうと言ってやった。そうなんだ、ぼくはまじめだった。彼のことをおこってなんぞいなかった。だが、彼は手ごわくがんばった。――《何ひとつ！　何ひとつ！　ちゃんと自分だけにはわかっています！》そして、ぼくがまだなにかくどくど言っているのを見ると、彼は一種の憤激に身をまかせた。――《何がいったい、みんなにそうしたことを思わせるのです？　わたしの著述か？　そんなものはゼロなのだ！　わたしは何ひとつ、自分に書けそうだったものを何ひとつ書いていない！　では、ほかに何がある？　え？　称号？　講座？　アカデミー？　え？　これか？》彼は、略綬のついている上着の襟をひっつかみ、猛然それを揺りあげた。《これか？　え？　これか？》」

（自分の話に引きずられて、ジャックはいまや立ちあがっていた。高まりつづける情熱をこめて、その場の光景をまねていた。そしてアントワーヌは、ところもおなじ玄関で、ジャリクール氏が、天井からの光を浴び、ぐっとそり身になっているのを見たときのことを思いだした。）

「と、急に彼は落ちついた」と、ジャックがつづけた。「たぶん人に聞かれるのをおそれたためだったろう。彼は戸をあけた。そして、ぼくをオレンジと蠟のにおいのする台所みたいなところに押しこんだ。まるであざ笑う男とでもいったように大きな口をあけながら、眼差しはものすごく、目はモノクルのうしろで充血していた。コップやコンポチエ(砂糖煮のくだものを入れる一種の皿)を載せた台の上にひじをついていたが、それをどうして床にたたきつけなかったか、いまでもぼくにわからない。三年後の今日になっても、あのときの言葉、言葉のちょうしがありあり耳に残っている。沈んだ声で長々と話しはじめた。

——《こうしたわけです。じつをいうとこうしたわけです。きみくらいな年ごろ、いや、おそらくもう少し年がいっていたかもしれない。ちょうど高等師範を出たころだった。きみとおなじく、わたしも小説家を志した。きみとおなじく、それを伸ばそうと思えば、どうしても自由であることを必要とするひとつの力の存在を感じていた！　そしてきみとおなじく、いままで道を誤っていたことを直観した。ま、しばらく。そして、きみとおなじく、誰かに相談してみようと思ったんだ。ただ、このわたしは、誰か創作家がいないかとさがしてみた。誰だかわかるかね？　いや、わかるまい。その人が、一八八〇年代の青年にとってははたしてどんな人物だったか、とても想像できなかろう！　わたしはその人をたずねて行った。その人はわたしにしゃべらせ、ひげをひねって、鋭い目つきでじっとわたしをながめていた。いつもせかせかしていたその人は、終わりまで聞かずに立ちあがった。ああ、そこにはなんのためらいも見えなかった！　彼は、Sの音がFに聞こえる唇声音(しんせいおん)でこう言った。〈作家たらん道はただひとつ。いわくファーナリズム！〉と。そうだ、その人はこう言った。ちょうど二十三の年だった。で、わたしは、来たとき同様、ばかのままでひきさがった！　わたしはふたたび見いだした、書物を、教師たちを、友人たちを、競争を、アヴァン・ギャルドのいろいろな雑誌を、それからいろいろな集会を——輝く未来を！　おお、なんと輝かしい未来だったか！》こう言ってジャリクールは、その手でパーン！　とぼくの肩をたたいた。ぼくはこれからも思いだそう。あの目のことを、眼鏡のかげから光っていたサイクロープ（ひとつ目の巨人）のような目のことを。彼は、すっくと立ちはだかり、ぼくの顔につばをとばして——《わたしに用とおっしゃるのか！　なにか助言を？　よし、これだ！　書物を捨てるがいい。本能のままにやりたまえ！　すなわち、ひとつのことを学ぶのだ。せめていくらかでも天分があったら、けっきょくすべては自分の力から、伸びてゆくのはわが身からと知るべきだ……きみだったら、いまからでもおそくはない。いますぐに！　さっそく生活をはじめるのだ！　どうした生活、どこでの生活？　それはなんら問題ではない。年といってもまだ二十。見方も持っておいでのようだし、足も達者でおいでのようだ。ジャリクールの言うことをまもるのだ。どこかの新聞社にはいる。そして雑報の種をあさる。わかるかな？　わたしはけっして狂人じゃない。雑報ですぞ！　世間めがけてのダイヴィングだ！　きみのあかを落とそうと思えば、これよりほかに道はない。朝から晩まで駆け歩くのだ。事故であろうと、自殺であろうと、訴訟事件、社交界のできごと、淫売宿での警察ざた、どれひとつとして逃してはならない！　目をあける！　文明のひきずっているすべてのもの、良きも悪しきも、思いもよらないようなもの、二度とあり得ないというようなもの、すべてにしっかり目をあける！　そうしたあとで、人間なり、社会なり——またあなた自身なりにたいして、はじめて口がきけるのだ！》

ぼくは彼をみつめるだけでなく、まるで飲み干すとでもいったように彼をみつめていた。そして、全身に電気をかけられたようになっていた。だが、すべてはとつぜん沈静にかえった。彼は、なにも言わずに戸をあけた。そして、玄関を通って踊り段まで、ほとんどぼくを追い出すようにした。ぼくには、それがどうしたわけか、ついにわからずじまいだった。はっと気がついたとでもいうのかしら？……一気にしゃべりたてたことを、後悔する気になったのかしら？……人に話されはしまいかと、こわくなったとでもいうのかしら？……ぼくにはいまでも、あの長いあごの震えが目に見えるように思われる。声をおさえて、聞きとれないほどの早口で言った。——《さあ……さあ……さあ……きみの書斎にもどるのだ！》ぱたりとドアがしめられた。ぼくは、かってにしやがれと思った。ぼくは、階段を三つ駆けおりると町へ出た。そして、暗い中を、牧場に出された若駒そのまま、駆けにかけて家へもどった！」

彼は、感動で息もつけないでいた。二杯めの水をコップにそそぐと、ただひと息に飲みほした。手が震えていた。コップを下におきながら、それが水さしのびんにあたったのでチリリと鳴った。しんとした中で、透きとおるコップの音が、長く長く消えなかった。

アントワーヌは、なおもからだをふるわせながら、家出に先だついくつかのできごとについて脈絡を求めていた。欠けている点がたくさんあった。彼としては、ジウゼッペの二重の恋について、なにか打ちあけ話をさそいだしてやりたい気持ちだった。だが、この点については……ジャックは、さっき《ぶつかりあってることが多すぎて》とためいきをつくように言っていた。それだけだった。がんとして口をつぐんでいること自体、そうした心の葛藤こそ、家出の決心をするにどれほど重要だったかを語っている。《ところで》と、アントワーヌは思った。《いまの彼の心に、それがまだどれくらいの重要さを持っているのだろう?》

彼は、かんたんに、さまざまな事実を集めてみようとした。ジャックは、十月にメーゾン・ラフィットから帰ってきていた。その時分のジゼールとの関係、ジェンニーとあったことが、はたしてどんなものだったか? 別れようと思っていたのだろうか? それともまた、実現不可能な約束でもしたのだろうか? アントワーヌは、パリでの弟の姿を心に描いた。それとはっきりきまった勉強もせず、ひとりきり、そして自由だった彼は、その解決不可能な問題をあれやこれやと心の中に考えながら、なんともたえられぬ興奮、煩悶の生活をしていたように思われる。そして、ただひとつ前途には、学校の始業、思っただけでもむかむかする高等師範の寄宿生活。それが、ジャリクールへの訪問になったのだった。そして、とつぜん地平に向かってひらかれたひとつの道、大きな抜け穴。すなわち、できもしないような生活から足を抜き、これを投げすて、ゆきあたりばったりに踏み出し、生きて行くこと! 《これなんだ!》と、アントワーヌは思いついた。《これではじめて、ジャックの家出ばかりでなく、三年間、死んだような沈黙を守っていたわけもわかってくる。なにからなにまでやり直す! やり直すためには、なにからなにまで忘れてしまう——そして人にも忘れさせる!……それにしても》と、彼は思った。《おれがル・アーヴルへ行ってた留守にやるなんて! おれにあうため、ひとこと話をしておくため、せめて一日、どうして待つ気にならなかったか！》不愉快な気持ちが、いまにも首をもたげてきそうだった。彼は、つとめてあらゆる不満を追っぱらった。そして、話のよりをもどし、つづきを聞こうとして、言葉をつづけた。

「で……つまり、その晩、そうしたことのあったあくる日のことというんだな？……」

ジャックは、ふたたびストーヴのそばへもどって腰をおろしていた。両ひじをひざの上に立て、肩をまるめ、うつ向きこんで、低く口笛を鳴らしていた。

彼は目をあげた。

「そのあくる日、そうだった」そして、言葉を中途で濁しながらつけ加えた。「……いざこざのすぐあとでだった……」

父との論争、セレーニョの館での論争なのだ！　アントワーヌは、それをいままで忘れていた。そして、

「おやじはなんともいわなかったぜ」と、勢いこんで言った。

ジャックは、驚いたようすだった。それでいて、くるりとわきへ目をそらした。そのしぐさには、次の意味がうかがわれた。《ふん、いまとなっては手おくれさ……考え直しはまっぴらだ》

ジャックは、考えこんだような態度にかえって、ふたたび低く口笛を吹きはじめた。神経質な一本のしわが、まゆげの線をゆがめていた。彼はたちまち、われにもあらずあの悲痛な瞬間のことを思い

だした。父と子は、食堂の中で向かいあっていた。昼食が終わったばかりのところだった。チボー氏は、学校の始業のことについてなにかたずねた。そしてジャックは、荒々しく、学校をやめることにしたと宣言した。問答が重ねられ、それがだんだん激烈なちょうしをおびて行った。父はげんこで食卓をたたいた……どんづまりまで追いつめられ、なんともわからぬ興奮にかられたジャックは、父にいどむといったように、ジェンニーの名を口にした。そして、あらゆるおどし文句をものともせず、自分のほうでもおどし文句を口にしながら、無我夢中で、とりかえしのつかない言葉をはきつづけた。そして、背水の陣をしき、思い直しをぜったい不可能にしておいてから、《死んでやる！》と、絶叫しながら姿を消した。

あまりにはっきりと、あまりに痛切に思いだされてくるままに、彼は刺されでもしたように立ちあがった。アントワーヌは、そのときチラと、弟の目の中に、とり乱したようなひらめきを見た。だが、ジャックは、たちまち元の自分にかえっていた。

「四時過ぎだ」と、彼は言った。「あの用をすますとすると……」外套を着かけた彼は、一刻も早くこの場をはずしたいといったようすだった。「兄さん、待っててくれる？　五時までには帰ってくるから。したくはすぐにできるんだ。食事は、駅の食堂ですることにしよう。そのほうがいい」机の上には、書類がいくつかおいてあった。「これ」と、彼は言葉をつづけた。「おもしろかったら……いろんな記事とか、短編とか……二年このかた書いた中で、なんとか読めそうなものなんだ……」

彼は、いったん出ていってから、もじもじしながらふり返った。そして、軽いちょうしでこうたずねた。

「そうそう……兄さんダニエルのことを話さなかったな？」

アントワーヌには、彼が《……フォンタナン家の人たち》と、言おうとしていたらしく思われた。

「ダニエルか？　おれと大の仲よしになったんだぜ！　きみがいなくなってから、とても親身で、とても親切にしてくれた……」

ジャックは、心の混乱を隠そうと、さも驚いたといったようすをして見せた。そして、アントワーヌも、それを真にうけたようなふりをした。

「驚いたか？」と笑いながら彼は言った。「なるほど、おれと彼と、ずいぶんちがってる。だが、おれも最後に、彼の人生観を肯定するようになったんだ。相手が芸術家であってみれば、ああした考え方もむりがないんだ。彼は、予測以上に成功している！　一九一一年、リュドウィクスンのところの個展で、すっかり名まえを売り出したんだ。売ろうと思えばいくらでも売れる。それなのに、きわめて少ししか仕事をしない……彼とおれとはちがっている——とくに、まえにはちがっていた」と、言いなおした。彼はこうして、いささか自分を語る機会が得られたこと、ジャックにたいし、ウンベルトとは似ても似つかない自分を見せられることがうれしかった。「おれももう、まえほど一徹でなくなっちゃった！　そうする必要がなくなったように思われるんだ……」

「ダニエルはパリにいる？」とぶっきらぼうにジャックはたずねた。「彼は知ってるのか？……」

アントワーヌは、むっとしてくるのを押しとどめた。

「いや、いま、兵隊だ。リュネヴィルで、曹長さんだ。あと十カ月ばかりのこっている。十四年の十月までだ。一年ばかり、ほとんどあってはいないんだ」

彼は、自分のうえにそそがれた沈鬱な、うつけたような眼差しにぞっとしながら、そう言ったまま口をつぐんだ。

心の混乱が、声にあらわれないだろうことがわかったとき、ジャックははじめて口を開いた。

「兄さん、ストーヴの火を消さないでね」

彼は、そう言って出ていった。

十一

ひとりのこされたアントワーヌは、テーブルに近づき、好奇心で書類をひろげた。

そこには、あらゆる種類の書類が、雑然と集められていた。まず第一には、時事問題に関する記事を集めたやつ。新聞からの切り抜きで、《運命論者ジャック》という署名があった。次には、J・ミューレンベルクという雅号でベルギーの雑誌に出した、山を歌ったらしいひとまとめの詩。最後に一連の短編小説。それは『黒い手帳から』としてあって、なにかニュースにヒントを得たらしいスケッチふうのもの。それにはジャック・ボーチーという署名があった。アントワーヌは、中のいく編かを読んでみた。『八十歳の人々』『子供の自殺』『盲人の嫉妬』『怒り』日常卑近の生活の中から選ばれ、ざっとした描写のされているそうした人物は、すべてみごとに浮き彫りされていた。もってまわった、それでいてぎごちなかった『ラ・ソレリーナ』の文体が、いまあらゆる叙情調から解放され、それらの記録に興味をおこさせずにはいないほどの真実性をあたえていた。

だが、そうした作品のうまさにもかかわらず、アントワーヌは、どうも注意を集めるわけにはいかなかった。けさからかけて、あまりにも思いがけないことばかり。とりわけひとりきりになるやいなや、彼は、いやおうなしに、昨晩そこを出てきた病室のほうへ思いをはせていた。そこではおそらく、恐ろしいことがはじまりかけているかもしれない。ここへ来たのがいけなかったかな？　ちがう、自分はジャックをつれに来たんだ……

遠慮がちに、だが、思いつめたようすで小さくドアをたたく音に、彼は注意を乱された。

「おはいり」と、彼は言った。

驚いたことには、暗い階段を背景にして、そこに婦人の姿が浮かびあがっていた。ははあ、さっき、朝食のときに見かけた若い女だな。女は、まきを入れたかごを持っていた。彼は急いでそれを受けとってやった。

「弟は出かけましたよ」と、彼は言った。

女は頭で《存じております》おそらくは《だからまいりましたの》といったようすをしてみせた。女は、好奇心をかくそうともしないで、じろじろアントワーヌをながめていた。だが、その態度には、なんらあいまいなところがなく、こうした思いきった行動も、じつはしっかり考えた結果であり、深い理由にもとづくものであるように思われた。アントワーヌは、その目が、いままで泣いてきたばかりのもののように思った。たちまち、まつげがしばだたいた。と、なんのまえぶれもなく、非難に声をふるわせてたずねた。

「あのかた、おつれになるんですか?」

「ええ……おやじが重態で」

女の耳には、それが聞こえなかったようだった。

「なぜですの?」と、憤然として女が言った。そして、足で地面をたたいていた。「いけません!」

アントワーヌは、くり返した。

「おやじが死にかけているんです」

だが、女にとって、説明なぞはどうでもよかった。その目は、だんだん涙にあふれてきた。彼女は、上体を窓のほうへ向け、手を組み合わせ、それをふりしぼると、やがてぐったり腕をおろした。

「あのかた、帰って見えないにちがいありませんわ!」と、暗然とした声で女が言った。

彼女は大柄で、肩幅が広く、小ぶとりにふとっていて、その動作は、いらだたしいと同時に、じっとしているときはいかにも鈍重なようすだった。卵灰色をした、つやのいいずっしりした二本の編み髪は、低いひたいの上をぐるりととり巻き、それが首筋のところであつまっていた。こうした冠を上にいただいた端正重厚な顔だちにはいかにもりんとしたところがあり、それはさらにうねうねと波形にくねって意思の強さをしめしている口の輪郭によって引き立てられていた。そして、そうした口の表情を、ふた筋の肉感的なしわがなごめていた。

彼女は、アントワーヌのほうをふり向いた。

「お誓いになってちょうだい、イエズスの御名にかけて。あのかたの帰っておいでをじゃまなさらないって！」

「とんでもない。それにしても、どうしてそんなことを？」彼は、和協的な微笑を浮かべながら言った。

この微笑にたいして、彼女は答えなかった。そしてきらめく涙のあいだから、じっとアントワーヌをながめていた。からだにぴったりついた着物の下では、胸がはげしく息づいていた。彼女は恥ずかしそうなようすもなく、ながめられるままになっていた。彼女は、胸のふくらみから、ハンケチのまるめたのをとりだし、それを目にあてたあとで、鼻じゃくりをしながら両方の小鼻にあてた。まぶたのあいだに動いているなにかだるげなひとみには、なめらかな、肉感的な表情が見えていた。眠った水。そこにはおりおり、解釈できないような、考えの渦ができていた。と、彼女は、首をあおむけたり、そっぽを向いてみせたりした。

「あのかた、あたしのことをお話しでした？　あたしソフィア」

「いや」

青いひらめきが、彼女のまつげのあいだをすべった。

「このあたしが、何から何までお話ししたなんておっしゃらないで……」

「だって、なにもおっしゃらなかったじゃありませんか」

「あら、そんなことってありませんわ」彼女は、そう言うと、まぶたをなかば閉じたまま、顔をうしろにのけぞらせた。

彼女は、目で折りたたみ椅子をさがし、それをアントワーヌのそばへひきよせると、ちょっとの暇しかないかのように、せわしそうに腰をおろした。

「あなた」と、彼女はきっぱり言った。「あなた、お芝居関係のかたでしょう？」彼は、ちがうといったようすをした。「それにきまってますわ。あたしの持ってる絵葉書のかたに似ていらしってよ……パリで名高い悲劇役者」彼女は、微笑を浮かべていた。それは、いかにも勢いのない微笑だった。

「芝居がお好きなんですか？」と、アントワーヌが言った。思いちがいを訂正するのに、時間をつぶしたくなかったからだ。

「映画！　それにお芝居も！　大好きですわ」

時おり、この不感覚な顔のうえに、思いもかけないあらしが見られたが、そういうとき、なにか言おうと大きくひらいてた口が、大きな白い歯並みとか真紅な色の歯茎を見せて、ますます大きく見えるのだった。

彼は、守勢に立っていた。

「ここには、なかなかいい劇団があるでしょうな？」

彼女は、からだをのり出した。

「あなた、これまでにローザンヌにいらしったことがおありになって？」（身をかがめ、早口に、声をおさえながら話している彼女は、さも相手からも打ちあけ話を求め、自分のほうでもそれをしているようだった。）

「一度も」と、彼が答えた。

「またいらっしって？」

「もちろん！」

一瞬彼女は、きっとなった眼差しで彼を見つめた。彼女はいく度か首をふった。そして、最後にこう言った。

「嘘ばっかり」

つづいて彼女は、ストーヴのほうへ歩いていった。そして、石炭を入れるためにその戸をあけた。

「おお」と、アントワーヌはそれを押しとどめた。「暑すぎますから……」

「ほんとに」と、彼女は、手の甲を頬にあてながら言った。しかも彼女は、まきを一本手にとると、烈火の中にほうりこんだ。また一本、さらに一本。そして「ジャックさんはこうするのが好きなんですの」と、いどみかかるようなちょうしで言った。

彼女は、背を向け、顔をほてらす炎を見つめながらうずくまっていた。日が暮れる。アントワーヌは、炎の後光にかこまれた潑剌とした肩のあたり、首筋、髪、そうしたものをじっと眼差しでなでていた。なにを期待しているのだろう？　あきらかに、自分が見られていると知っているのだ。アントワーヌは、女のはっきりしない横顔のあたり、微笑の形を見つけたと思った。だが、くるりと胴をくねらすと、彼女はふたたび立ちあがった。ストーヴの戸を足でしめ、いく足か部屋の中を歩いているうち、テーブルにあった砂糖のいれ物に気がつくと、がつがつしながら砂糖をつまみ、それをカリカリかじりながら、さらにひとつ手にしながら、それを遠くからアントワーヌに見せた。

「いや、たくさん」と、笑いながら彼は言った。

「こうしないと、悪いことがやってくるのよ」彼女は、そう言いながら投げてよこした。彼はそれを宙で受けた。

ふたりの目と目とがゆきあった。ソフィアの目つきは、《あなたはどなた？》それとも《これから、ふたりのあいだに何がおこるかごぞんじ？》とでも言っているかのようだった。透きとおったまつげの金色にいろどられ、だるげでいながら欲望に燃えたつ彼女のひとみは、夏、ひと雨を待っている砂のようだった。それでいて、そこには、情欲というより、倦怠の色がまさっていた。《ふれなば落ちんというやつだな……》と、アントワーヌは思った。《だが、時をおかずにこっちにかみつくやつなんだ。そして、あとになるとこっちを憎む。そして、どこまでも破廉恥な復讐に燃え立つやつ……》

彼の気持ちを察したのか、女はくるりと向きを変え、窓のほうへ歩いて行った。雨のため、日の暮れも早かった。

かなりに長い沈黙のあとで、アントワーヌは、落ちつかないままにたずねてみた。

「なにを考えているんです?」

「あら、あたし、たいして考えてなんかいやしないわ」女は、じっとしたままこう答えた。

彼はさらにたずねてみた。

「でも、考えるとしたら、どんなこと?」

「なんにも」

アントワーヌの笑うのを聞きながら、女は窓のそばを離れ、やさしい微笑を浮かべてみせた。もはや、急いでいるようには見えなかった。腕をぶらぶらさせながら、いきあたりばったりいく足かあるき、おりから戸口にさしかかると、その手でぼんやり錠にさわった。

アントワーヌは、女が鍵をかけることと思っていた。そして、血潮がかっと顔にあがった。

「さようなら」女は、目を伏せたままでつぶやいた。

彼女は、ドアをあけていた。

驚きと同時に、ばくぜんとして失望を感じたアントワーヌは、身をのり出して、せめてその眼差しをとらえようとした。彼は、ちょっとからかってみる気持ちもあって、訴えるような、甘えるようなちょうしで、やまびこのようにつぶやいた。

「さようなら……」

だが、ドアはそのまましめられてしまった。女は、ふり向きもせずに姿を消した。彼の耳には、階段の手すりにさわるスカートの音、女がおりて行きながら、わざとらしくうたう小唄のひとふしが聞こえてきた。

十二

少しずつ、夜が部屋の中を領していった。

アントワーヌは、灯(ひ)をつけに立とうという気力もなく、うつらうつら夢みていた。ジャックが出かけてから、もう一時間以上もたっていた。つとめて追いのけようとするのだが、われにもあらぬ疑いが、アントワーヌの心をとり巻いていた。一刻一刻つのる不安に、彼の心はしめあげられていた。だが、そうした不安も、踊り場に弟の足音が聞こえると同時に、忘れたように消えてしまった。

ジャックは、はいって来ながら、一言も口をきかず、部屋がまっ暗なのにも気がつかないようすで、戸口近くの椅子に身を落とした。ストーヴの火かげに、わずかにその顔がみわけられた。帽子を目深にかぶりながら、腕に外套をかかえていた。

彼はとつぜん、うめくように言った。

「兄さん、ぼくをおいといて。兄さんだけ帰ってもらおう。ぼくをおいといて！　ぼくはあやうく帰ってこないところだった……」そして、アントワーヌがなにか言おうとするまえに、言葉をつづけてこうさけんだ。「なにも言わずに。なにも言わずに。わかってるんだ。なにも言わずに。そうだ、いっしょに行こう」

そして、立ちあがると、明かりをつけた。

アントワーヌは、弟のほうを見まいとしていた。そしてかっこうをつけるため、読んでいるふりをつづけていた。

ジャックは、疲れたような足どりで部屋の中を歩きまわった。彼は、いろいろ手まわり品をベッドの上に投げ出すと、スーツケースをあけ、その中に、下着類やさまざまのものを詰めた。彼は、おりおり口笛を吹いていた。いつもおなじメロディーだった。

アントワーヌは、彼が一束の手紙を火に投げ入れ、あたりに散っている書類を整理して戸棚に入れ、鍵を抜くのを見た。ジャックは、つづいて片すみへ行って腰をおろすと、ぐっと身をかがめ、肩のあいだに首をちぢめ、たれさがる髪を神経質らしくはらいのけながら、ひざの上で、何通かの封緘葉書を書きなぐった。

アントワーヌは、転倒しそうな気持ちだった。もしジャックにして《お願いだ、ぼくをこのままにしておいて！》とでも言おうものなら、彼はおそらく、無言で弟をだきしめ、すぐに、ひとりで出発してしまったにちがいなかった。

ジャックのほうから沈黙を破った。靴をはきかえ、スーツケースの締金をしめると、兄のほうへ近づいてきた。

「七時だぜ。出かけなくっちゃあ」

アントワーヌは、それには答えずにしたくをした。したくができると彼はたずねた。

「手をかそうか？」

「けっこう」

ふたりは、昼間のうちより、ずっと低い声で話していた。

「スーツケースをかさないか？」

「重かないんだ……兄さん、お先へ」

ふたりは、ほとんど足音もさせずに部屋を横ぎり、アントワーヌが先に部屋を出た。彼は、うしろに、ジャックの手によってスイッチがひねられ、静かにドアのしめられた音を耳にした。

晩食は、駅の食堂で手早くすませた。ジャックはひとことも口をきかず、料理にもほとんど手をつけなかった。そしてアントワーヌは、弟とおなじく浮かないようすで、べつにわざとらしい気持ちでなしに、そうした沈黙を尊重していた。

列車はプラットフォームについていた。ふたりは、発車の時刻を待ちながら、行ったり来たり歩きまわっていた。地下道からは、絶えまなしに、旅客の波が吐かれていた。

「こむらしいぜ」と、アントワーヌが言った。

ジャックは何も答えなかった。だが、彼はとつぜん打ちあけた。

「ぼく、ここへきてからもう二年半だ」

「ローザンヌへかい？」

「ううん……スイスで暮らすようになってからさ」さらにしばらく歩いてから、ジャックはふたたびつぶやいた。「楽しかったなあ。一九一一年の春……」

ふたりはもう一度、黙ったまま、列車にそって歩いて行った。ジャックは、おなじことを考えつづけていた。彼の口からは聞かれもしないのに次のような説明がされた。

「ぼく、ドイツにいるとき、とても頭痛がひどかった。それで、何から何まで倹約して、一日も早く、このスイスへ、この空気の中に逃げて来たいと思ったんだ。着いたのは五月の末、ちょうど春のまっさいちゅうだ。ぼくは山へ行った。リュツェルヌ郡のミューレンベルクだ」

「そうかミューレンベルクか」

「そうなんだ。そこで、《ミューレンベルク》と署名したほとんどすべての詩を書いた。あのころはずいぶん勉強した」

「長くいたのか？」

「半年。お百姓の家で。老人夫婦、子供はなかった。すばらしい半年だった。なんて豪勢な春だったろう！　なんてすてきな夏だったろう！　着いたその日、窓から見ると、夢のようなながめなんだ！　ひろびろとした、波打った簡素な線でできている風景——気高いばかりの風景！　ぼくは、朝から晩まで外にいた。花も野生の蜜蜂でいっぱいの草原、雌牛をまき散らした、傾斜になった大きな牧場、小川の上の木造の橋……ぼくは、歩きにあるきつづけた。歩きながら勉強した。日がな一日歩きつづけた。おりおり、日が暮れて夜になっても……そう、夜になっても……」腕がしずかにあげられた。そして、それは曲線を描いてふたたび元の位置におろされた。

「だが、頭痛のほうは？」

「そう、落ちつくとまもなく、とてもぐあいがよくなった！　つまり、ミューレンベルクがぼくをなおしてくれたんだ。いままでかつて、これほど頭がのびのびと、それに軽く思われたことは一度もなかった！」彼は、それを思いだしてほほえんでいた。「軽く、ね。それでいて、思想や、計画や、気ちがいじみた考えでいっぱいだった……ぼくは信じている、ぼくが一生じゅうに書けるものは、すべてその夏、あの清純な空気の中で萌え出したものにちがいない、と。ぼくは忘れない、あれほど感激していたいく日かのこと……そうした日々、ぼくは、ほんとうに幸福に酔うということを経験したんだ！　ぼくは——少しきまりがわるいが——飛びはねたり、わけもなく走りまわったり、そのあとでは草の中に腹んばいにからだを投げ出し……なんとも言えないいい気持ちで、すすり泣いたものだった。大げさと思うかしら？　嘘いつわりのない話だ。たとえばぼくはおぼえている、ある日のごときは、ぼくはあんまり泣きすぎたので、山の中に見つけておいた泉の水で目を洗おうと、ずっと遠まわりさえしたものだった……」彼は、うつ向き、しばらく黙りこんだまま歩いていた。そして、うつ向いたままでくりかえした。

「そう、いまから思えば、もう二年半もまえになる」

それから後は、発車するまで黙りつづけた。

さて汽車が、なんの容赦もない確実さ、時刻表どおりに動く受け身の威力を発揮して、汽笛も鳴らさず動き出したとき、ジャックは、冷然とした目つきで、人けのないプラットフォームが消えてしまい、加速度のリズムにつれて、黙々と灯をともした郊外の町の走り過ぎるのをながめていた。やがて、すべてはふたたび暗黒にかえった。そして彼は、なんの抵抗もなしに、やみの中に運び去られてゆくような気持ちだった。

ぎっしりつまっている知らない人々のあいだに、彼は、目をあげて兄を求めた。アントワーヌは、そこからいくメートルか離れたところ、なかばこちらに背を向け、おなじく暗い田園に目をさらしているらしく、通路のところに立っていた。彼は、兄のそばへ行きたい欲望を感じた。そして、またもやすべてを打ちあけたい気持ちを感じた。

彼は、やっとのことで人を分けて兄のところまで行った。そして、いきおいよく、その肩の上に手をおいた。

通路いっぱいの、旅客や荷物のあいだにはさまっていたアントワーヌは、ジャックが、なにかほんのひとこと言いたいのだろうくらいに思っていた。そして、ふり向こうともしないで、首だけねじ向け、顔をかしげてみせた。と、家畜のように人のぎっしり詰まった通路の中、車の動揺や、けたたましい響きの中で、ジャックは、アントワーヌの耳に口をよせてこうささやいた。

「兄さん、ねえ、ぼくは兄さんに言っときたいんだ……ぼくは、はじめのうち、それはそれは……」

彼は、次のようなことをさけびたかった。《ぼくは、とても口に言えないような生活をしていた……じつに卑しいことをやってきた……通訳……ガイド……やりくりさんだんをして暮らしていた……アクメット……もっとひどい。どん底生活。ユダヤ町の生活だった……友だちといえば、みんななさけないやつら。クルージェじいさん、セラドニオ……カロリナ……ある晩、やつらは河岸っぷちで、ぼくをこんぼうで打ちのめした。それから病院。頭痛がするのもそのためなんだ……それからナポリ……ドイツでは、リュペールとローザ夫婦……ミュンヘンでは、ウィルフリートのおかげで、ぼく……未決監に入れられた……》だが、打ちあけたいことがこみあげてくればくるほど、そして、思い出が、無数に雑然と浮かびあがってくればくるほど、口に言えないといったその過去が、事実口に出せない――言葉に尽くせないもののように思われてきた。

彼は、失望して、つぎのようにつぶやいた。

「兄さん、ぼくは、口に言えないような生活をしてきた……口に言えないような……言――え――な――い――ような!」(この言葉、彼によってあらゆる汚辱をこめて言われたその言葉、絶望的な声でくり返されたその言葉、ずっしりして柔軟なその言葉は、さも懺悔でもあるかのように、少しずつ、彼の心をなごめて行った。)

アントワーヌは、すっかり彼のほうを向き直っていた。近くに人が大ぜいいるので、アントワーヌはかなり当惑して、ジャックが高い声を出しはしまいか、なにか話しだすかと心配しながら、顔だけにこにこしてみせていた。

だが、ジャックは、板壁に肩をもたせて、もうそれ以上、なにも言いたくないといったようすだった。

旅客たちは、通路から車室の中へはいって行った。やがて、ふたりのまわりは静かになって、誰に聞かれるおそれもなく、じゅうぶん話ができるようになった。

このときまでの、口数少なく、話をつづけたくも見えなかったジャックは、急に、アントワーヌに身をよせた。

「ねえ兄さん、なによりもおそろしいのは、それは……正常的なもの……それのわからないっていうことなんだ……いや、正常的というのじゃなかった。ばかだなあ……なんて言ったらいいんだろう？　つまり、自分の感情とか……というより、むしろ本能といったようなもの……兄さんは医者だ。兄さんにはわかるだろう」まゆげをよせ、じっとやみの中を見つめながら、沈鬱な声で、ひと言ごとにつまずきながら話しつづけた。「ねえ」と、ジャックは言った。「人間は、ときどきいろいろなことを感じるんだ……人間は、あるいはこちらに……あるいはあちらに……いろいろな種類の飛躍をする……ぐっと、心の底からおどり出す飛躍……それでいて、ほかの人たちも自分とおなじようなことを感じているのか、それとも自分だけ……とほうもない感じ方をしているのか、そこのところがわからないんだ……兄さん、ぼくの言ってることがわかるかしら？　兄さんはたくさんな人間やたくさんな病症を見てきている。だから兄さんには、なんと言ったらいいかしら、一般的（と言っておこう）なものと……特殊的なものとがわかっているにちがいない。だが、ぼくたちなにも知らないものには、そこのところがとても不安だ……たとえばだ。十三、十四という年ごろの、あの、なんともわからないもやもやした欲情、いやおうなしに心の中に押し入ってくる、なにかはっきりしないいろいろな考え。本人は、それを恥ずかしいと考え、なにかひじょうな欠点ででもあるかのように思って、苦しみながらそれを隠そうとする……ところが、ある時期になれば、これほどあたりまえのものはないこと、そればかりか、これほどたのしいものはないことがわかってくる……そして、みんなも、みんなも自分たちとおなじように……わかる？……ところがだ、ここにわからないことがあるんだ……本能的なもの……厳然としてわれらの前に立っていて……それについては、このぼくの年になっても、兄さん、ぼくの年になっても……どうも……どうもはっきりわかってこないんだ……」

　とつぜん、彼の顔はひきしまった。別のひとつの考えに、ふいに心を突き刺されたのだ。彼はいま、自分がたちまち、われにもあらずこの兄に、終始かわらぬこの友に、さらに進んでは、兄を通じてすべての過去に、結びつけられかけているのを感じた！　きのうまで、越えがたいみぞを持っていたのに……それが、わずか半日で……彼は、こぶしを握り、首をたれ、そのまま口をつぐんでしまった。

それから何分かの後、彼は歯を食いしばり、顔を伏せたまま、車室の席へもどって行った。彼が急に車室へもどったのに驚いたアントワーヌは、自分もあとにつづいて行ったが、薄暗がりの中、弟がじっと動かずにいるのが目にはいった。ジャックは、執拗に、涙の目をとじながら、寝たふりをして見せていた。

ラ・ソレリーナ　了

解　説

愛欲のしがらみ、遁走と反抗

『診察』の一日から六週間が経過している。チボー氏の病は重い。死の予感におびえる彼は、それを否定してくれるような何かの言葉なり表情なりを家人が示してくれないものかと、わざと自分の死を口に出して、その反応を試そうとする。そのような強気と弱気のあいだでのとり乱しは、なにもチボー氏の場合だけに限ったものではあるまい。死の床についた者だれしも一度はむかえねばならぬ、恐ろしい究極のジレンマというものであろう。しかしチボー氏のように、みずからの権力におごって倨傲（きょごう）な生涯を過ごした者の場合、それはひとしお哀れで、むしろ笑止なものとさえなってしまう。

秘書のシャールはチボー氏に死なれたあとの自分の生活ばかりを心配しているところから、「たとい、このわしが、きみより先においとまごいするようなことがあったにしても」というわざと落ちつきはらった主人の寛大な言葉に、つい嬉しくなって、「先生がおなくなりになりましたら……」と本音を吐き、病人の恐怖をいっそうあおってしまう。また童貞セリーヌは、司祭を呼んでほしいという病人の謎かけの言葉に対して、「たってとおっしゃいますなら……ご用心なさるにこしたことはございませんから……」と従順に答えて、相手を絶望の淵へと追いやる結果になる。

だがアントワーヌだけは、さすがに医者としてのテクニックを心得ていて、患者を驚かせるようなすれすれの表現をわざと用いたあと、それを笑いとばしてみせることで、「病人を一挙に希望の中心に」おくという冒険をやってのける。その「いかにも思いきった大胆さは、期せずしてあらゆる亡霊を追っ払うことになった」のである。安堵した父親は、「息子のため、りっぱな往生ぎわといったようなお芝居を見せてやりたい誘惑に駆られて」、遺言状にシャールへの遺贈を追加したいと言ったり、アントワーヌに信仰の必要を説いたりするが、それに加えて、「ジャックの死んだこと」についての怒りとも反省ともつかぬことをわめきだす。父チボー氏はジャックが自殺するために家出をしたと思っており、それがユグノーのフォンタナン家の人々が誘惑したためだ、と思いこんでいる。アントワーヌは父のうわごとのようなこの告白から、父がジャックに禁止していたフォンタナン家との交際のことで、父子のあいだに争いがあり、それがジャック失踪のきっかけになっていたことを知る。しかし、それが脱出の原因の一つにすぎなかったことは、やがてアントワーヌとともに、私たちの知るところとなろう。

しかしそのうちにも、オスカール・チボーが演じてみせる「おごそかな別れ」の儀式は、それを真に受けとる召使いたちの嘆きによって、本物の愁嘆場を現出することになり、病人に自分の病がいかに重いものかを思い知らせることになる。このチボー氏の「りっぱな往生ぎわ」のお芝居は、生涯を見栄と虚飾にかけてきた男の最後のあわれな猿芝居である。つまりカミュがいうように、この偽善的な死にまねは、「ある意味で彼の一生を通じてのものであった茶番劇を反映する」のである。

そうしたさし迫った状態のなかで、アントワーヌはジャックの生存についての手がかりを得た。エコル・ノルマルの教授ジャリクールからのジャックあての手紙が届き、その封を切ったアントワーヌは、「御高作拝見……」という教授の書きだしから、ジャックがどこかで小説を書いていたことを知るのである。

ジャックは家出をする前からジャリクール教授と文通をしていたが、三年前、いよいよエコル・ノルマルへの入学をひかえた十一月に、教授を訪ねて一時間ほど語りあい、その直後に失踪したのであった。この一時間ほどの教授との面談は、「入学しておとなしく学業をおさめたものか、それともほかの道をえらんだものか」という相談のためのもので、ジャックの家出の決意にある影響を及ぼしていたと考えられる。それについては、私たちにはまだくわしいことは知らされない。

アントワーヌは弟についての情報を得るために、ジャリクール教授に会いにゆく。そして、スイスのジュネーヴで出版されている『カリオプ』という若い人たちの同人雑誌に出ていた、ジャック・ボーチーという筆名による『ラ・ソレリーナ』という小説を見せてもらう。

この『ラ・ソレリーナ』という題の「小説のなかの小説」こそが、ジャック逃走の動機とその行方をアントワーヌにはじめて暗示してくれるものとなる。なぜならばこのジャックの小説では、南イタリアが舞台になっていて、登場人物はイタリア人とイギリス人ということになっていても、アントワーヌには、これがただちにメーゾン・ラフィットでのチボー家とフォンタナン家をモデルにした話であることが理解されるからである。これさえ読めば、ジャック逃走の謎がとけるにちがいない。作者と小説の中心人物ジウゼッペがジャック自身であることはすぐにわかるし、評定官セレーニョはオスカール・チボー氏、ウンベルトはアントワーヌ、アネッタがジゼール、というように、チボー家の人々は出そろっている。ただし注目に価するのは、アネッタが現実のジゼールと異なって、ウンベルトとジウゼッペの実の妹となっていることである。(「ラ・ソレリーナ」とはイタリア語で「妹」という意味の語。)

パウエル家というイギリス人家庭は、フォンタナン家がモデルであろう。すなわちミセス・パリエルがフォンタナン夫人、シビルがジェンニー、ウィリアムがダニエルとなる。

ジャックの小説の時間はある休暇のあいだということになっているが、これが一九一〇年ジャックがエコル・ノルマルに合格した直後の夏のヴァカンスのことだったことは明白である。あのヴァカンスのあいだにメーゾン・ラフィットで、ジャックがフォンタナン家の別荘に足繁く通ったことが想起される。

こうして、ジャック脱出直前の時点における出来事が描かれている『ラ・ソレリーナ』を、アントワーヌは弟の家出の原因をつかむ目的で読みはじめる。もっとも、この物語のほぼ全体が「不可解なイギリスおとめ」シビルへのジウゼッペの恋情の興奮調の吐露であるため、アントワーヌはその文学臭に「辟易」させられる（ジャックがジェンニーの影に口づけしたあの「壁面のキス」も、そのまま小説にとり入れられている）。しかし、作品の最後にいたって、ようやく事件らしい事件があらわれてくる。

ジウゼッペは、或る日の午後、妹アネッタをパウエル家の別荘へと連れだす。夜もふけてからの帰り道、ジウゼッペが、パウエル家へ自分が足繁く通うのもシビルがいるからだとアネッタにほのめかすと、アネッタは息を詰まらせ身を振りほどいて逃げようとするが、シナの木かげに倒れてしまう。そこで兄と妹とは、なにがなんだかわからないうちに近親相姦の交わりを犯してしまう。

家に帰ると、ふたりの遅い帰りを待っていた父に行き先を追及される。父はプロテスタントのパウエル家との交際をかたく禁じていたのであった。だが、ジウゼッペは、パウエル家に行っていたことを正直に告白し、シビル・パウエルと結婚すると宣言する。ここで、親子は決裂し——病床での父チボーのあのうわ言は、このときの諍いの思い出だったのだ——、息子は「死にに行く」と言って、そのまま家を出てゆく……

この「小説のなかの小説」に包まれている時間によって、『美しい季節』で触れられなかった一九一〇年夏の休暇中における、ジャックのチボー家での最後の時間がここに回復され、さらに、出奔したジャックがこの作を書くということによって、一九一〇年十一月初旬以降のジャックの失踪中の時間が回復されることになるのである。

アントワーヌはこの作品を手がかりにして、ジャックの居所を調べだし、弟を父の枕もとに連れかえるために、スイスへと急行する。

ついにアントワーヌがスイス、ローザンヌで見出したジャックには、かつての性急さや強情はその影をひそめ、兄は弟の変貌にすっかり驚いてしまう。いっぽうジャックのほうも、三年ぶりの兄との出会いの初めの会話のときから、その変わりかたに気づく。

かつて「チボー家一流の」とアントワーヌ自身が形容したあの激しさは、アントワーヌの場合にもジャックの場合にも、少なくとも外見的には影をひそめていた。アントワーヌには、自分の変化が「ラシェルのおきみやげ」であることがわかっていた。そして、ジャックのほうも、家出後のさまざまな生活体験をへて、いまや一人前の青年としての落ちつきを具えてきたのである。とくに、ローザンヌの革命家集団のなかで、真に生きるための場を見出した彼は、精神的にも均衡のとれた、目的意識をしっかり持って生きる人間になっていたのだった。

ここで、ジャック逃亡の地スイスが、この時代においていかなる土地であったかについて、簡単に一瞥しておこう。

プロレタリアートの国際組織「インターナショナル」は、一八六四年にロンドンで結成されていた（第一インターナショナル）。その第一回大会が、スイスのジュネーヴで一八六六年に開かれている。つづく第二回大会は、一八六七年ローザンヌで、さらに第四回大会が六九年バーゼルでと、ほとんどたてつづけに大会がスイスで開催されている。六九年バクーニンはスイスで国際社会民主主義同盟を設立し、第一インターナショナルに合流してゆく。

第一インターナショナル解体後十年目にして第二インターナショナルが結成され、その第二回大会がチューリヒで開かれ（一八九三年）、チボー兄弟再会の前年、すなわち一九一二年には、バーゼルで第八回大会が開催されたばかりであった。すなわち、この時代、スイスは社会主義者たちの活動の場となっていたのである。

ジャックが住んでいるローザンヌには、ヨーロッパのすべての国ぐにからの二十二名に及ぶ活動家たちがたむろしている。『ラ・ソレリーナ』にいたって、小説の空間がフランス一国の枠を越えてスイスへとひろげられ、各国からの社会主義者たちの国籍が象徴する空間の拡大によって、今後小説はヨーロッパ全土を舞台とする予兆を見せているわけである。そして運動家たちが第二インターナショナルに結集してあわただしく何かに対処しようという気配をみせていることが、ヨーロッパのただならぬ情勢を告げていることになる。すでに、『診察』の巻が外交官リュメルの饒舌にのせてほのめかしていた、あの警告が現実のものとなってきているわけである。

人々は『チボー家の人々』の前半（『父の死』まで）と後半とのあいだに断層があると指摘し、前半の心理主義的な傾向と後半での歴史性と思想性とのあいだに見られる落差を指摘するが、短絡的にそうきめつけるのは、『ラ・ソレリーナ』という巻がもつ重要性を無視することにつながる。この巻は、作者の半無意識のうちに、後半にむかっての拡大を準備していたのである。そして、半無意識ということが、この作者が本物の小説家であったこと、作中人物たちが真に生きた人間たちであったことを意味する。

アントワーヌはジャック自身の口から、彼の小説『ラ・ソレリーナ』のなかでの近親相姦は作りごとで、現実のジャックとジゼールのあいだには、そのような過ちがなかったことを知らされる。ジャックはむしろ兄の問いにたいして、「わが身の潔白を傷つけられた気持ちで」恨みの色をあらわにするのである。現実のジャックとジゼールは恋人としてのキスはかわしているが、それ以上に進んだ関係はむすんでいない。潔癖なジャックは、たとえ血のつながっていない娘とはいえ、妹同然のジゼールの魅力に溺れることはしなかった。では、なぜジャックは自分の作品のなかで、アネッタをジウゼッペの実の妹とし、しかも兄妹に一線を越える過ちを犯させるように仕組んだのであろうか。

これを、主人公遁走の動機を鮮明にするための文学的な虚構、ときめつけてしまえば、それまでのことである。しかしこれは、この小説を書いたジャック自身の一種の心のカタルシスなのだ、と考えたほうがいいのではなかろうか。ジゼールはジャックをひたむきに愛しており、ジャックもジゼールの肉体的魅力に抗し得なくなる一歩手前まできていた。これが家出の一因となっていたことは、明白である。ジャックは架空の物語のなかで、現実には不発におわる契機を爆発させて、みずからの心に蟠るもやもやにけりをつけたかったのではあるまいか。すなわち、ジャックがとどまっているには最も不適当な、愛欲のしがらみという遊惰な状態から遁走するために、その状態を想像の上で極限にまで強める必要があったのではなかろうか。

アントワーヌには、ジャック家出の原因がほぼつかめたように思えた。ジェンニーとジゼールへの愛、そして父との諍い、ということである。しかし彼には、そして私たちにも、なにかしらそれだけではない、まだほかに何かがある、と思えてならないのである。その「何か」が、ジャックの語るジャリクール教授との会見のいきさつである。

エコル・ノルマル入学放棄の相談を受けて、「ちゃんとできあがっている道を軽蔑しすぎてはいけないな……」と一般論を説く教授にたいして、ジャックは「ああ、彼もまた、ほかの奴らとおんなじだった。彼には、なにも、ぜったい、なにひとつわかっていなかったんだ！」と軽蔑の念をいだく。ところがそのあと教授は、ジャックとの別れぎわに、「わたしはからっぽだ、もうおしまいの人間なのだ！（……）わたしの著述か？ そんなものはゼロなのだ！」と叫び出し、肩書きも講義もアカデミーもいったいなんになる、と吐きだす。突如として露呈された教授自身の引き裂かれた意識に、ジャックは衝撃を受ける。思いもかけぬ教授の悲痛な告白の叫びが、ジャック自身が本能的に抱いていた既成のあらゆるものにたいする不信の念、伝統的な文化と体制に依存することへの懐疑と罪意識、を再認させ、彼の反抗的精神を焚きつけて、過去への、またレールが引かれた未来への、決別を最終的に決意させることになったのであった（教授に相談に行くということは、まだ逡巡していたことを示すのだから）。このことは重視されねばならない。そして、教授の突然の昏乱は、若いジャックの純粋な批判に虚をつかれ、それに触発されたものと解するときに、理解が容易になる。

このような反抗的精神は、反逆児への道を進む以外に術を知らない。こうして、あらゆるものに「否（ノン）」を発するべく運命づけられたかつての家庭の反抗児は、いまや、革命的思想をいだく人々のなかに身を投じて、人間の尊厳をおびやかすもの（戦争）に反逆する抵抗者となってゆくのである。

彼は、もはやけっして元の古巣＝チボー家に帰ることはないだろう。ただ、父なる人の死をみとるため、いったんその死の床（とこ）へと兄に連れ戻されてゆくだけである。

店村新次

本書は2008年刊行の『チボー家の人々　6』第10刷をもとにオンデマンド印刷・製本で製作されています。

訳者：
山内義雄
(1894～1973)
1950年「チボー家の人々」により芸術院賞受賞
訳書マルタン・デュ・ガール「ジャン・バロワ」
「チボー家のジャック」他多数

解説者：
店村新次（たなむら　しんじ）
(1919～1991)
同志社大学名誉教授，文学博士
主著「ロジェ・マルタン・デュ・ガール研究」

43

チボー家の人々　6　ラ・ソレリーナ

訳　者 © 山内義雄（やまのうちよしお）
発行者　岩堀雅己
発行所　株式会社 白水社
東京都千代田区神田小川町 3-24
振替　00190-5-33228　〒101-0052
電話（03）3291-7811（営業部）
（03）3291-7821（編集部）
www.hakusuisha.co.jp

1984年 3 月 20 日第 1 刷発行
2024年 11 月 10 日第 20 刷発行
印刷・製本　大日本印刷株式会社
表紙印刷　クリエイティブ弥那
Printed in Japan

ISBN978-4-560-07043-7

乱丁・落丁本は送料小社負担にてお取り替えいたします。

Roger Martin Du Gard: *Les THIBAULT*